ちくま学芸文庫

〈ほんもの〉という倫理

近代とその不安

チャールズ・テイラー
田中智彦 訳

筑摩書房

ビシアに

目次

謝辞

謝辞

本書の企画について話し合った際に力を貸してくれたコニー・ムーアとフランク・ムーアに、そして草稿に丹念に目をとおしてくれたルース・アビーとワンダ・テイラーに御礼を言いたい。本書の企画と、本書が一部をなすさらに大きなプロジェクトを立ち上げるとき力になってくれたユーシビア・ダ・シルヴァにも感謝を捧げたい。

〈ほんもの〉という倫理——近代とその不安

第一章　三つの不安

わたしは本書で、近代〔特有〕の不安のいくつかについて述べようと思います。近代〔特有〕の不安ということばで意味しているのは、現代の文化と社会に見られる特色、つまり、文明が「発展してゆく」のとは裏腹に、現代の文化と社会がある種の喪失として、もしくは没落として経験されていることです。何かとてつもない没落がここ数年なり数十年のあいだなり――たとえば第二次世界大戦後とか、一九五〇年代以降とか――に起こっていると感じられることもあれば、歴史上もっともっと昔の時代から何かが失われつつあるのだと感じられることもあります。その場合はおうおうにして、近代とは十七世紀に始まってからずっと没落の時代であったとみなされます。ただ、時間の尺度はいかように伸び縮みするにしても、没落をテーマにする点ではははっきりした一致が見られます。没落というテーマにはいくつか主要なメロディーがあって、没落をテーマにするさまざまな言説はいわばその変奏曲になっているのです。そこで本章では、まずそれらのなかから二つをとりあげ、それから第三のテーマと突き合わせることにしようと思います。ちなみにこの第三のテーマは、大部分が第一、第二のテーマから導き出されるものです。もちろん、この三つのテーマで論題を語り尽くすなどとうていできるものではありません。しかしそれでも、近代社会に関してわたしたちを悩ませ、また困惑させることがらについて、この三つのテーマは多くを明らかにしてくれるはずです。

わたしが語ろうとしている懸念、つまり近代〔特有〕の懸念は、実にありふれたものです。わざわざ思い起こすまでもないほどであって、始終あらゆるメディアで論じられ、嘆かれ、やり玉にあげられ、反論されています。だとしたら、いまさら屋上屋を架すようなことなどしない方がよいのではないでしょうか。しかし、あまりにもありふれているということで、かえってその背後にある混乱が見えなくなっているように思われます。わたしたちは本当のところ、自分たちを不安にさせている当の変化を正しく理解していないのです。事実そうした変化についての論争は、たいてい当の変化を正しく映し出していません――そしてそのために、わたしたちにできることは何かということについて見当違いをさせているのです。近代を規定している変化はよく知られていますが、同時に、きわめて込み入ってもいます。またそうであればこそ、その変化についてさらに多くを語ろうとするのはやってみるに値することなのです。

（一）懸念の第一の源泉は個人主義（individualism）にあります。もちろん個人主義といえば、多くのひとびとが近代文明のもっとも輝かしい達成とみなすものをも指しています。わたしたちが生きている世界では、ひとびとは自分で自分の生活パターンを選択する権利、どのような信念をもつべきかを良心にしたがって決める権利、近代以前のひとびとには手に負えそうもないほどいろいろなやり方で自分の生活形態を決める権利をもっています。そしてふつう、これらの権利は法システムによって守られています。原則として、ひとびとはもはや、自分たちを超越したところにある想像上の聖なる秩序の要求のために犠牲にされたりすることはありません。

こうした達成を帳消しにしてしまいたいなどと思うひとはほとんどいないでしょう。それどころか、個人主義はいまだ不完全であって、わたしたちが自分自身たらんとする自由を経済の仕組みが、あるいは家族生活のパターンが、あるいは身分という伝統的な観念が、いまなお大幅に制限していると思われています。しかしまた、個人主義がいいことづくめだと思われているわけでもありません。近代的な自由は、それ以前の道徳の地平から脱け出ることで獲得されました。かってひとびとは、自分たちをもっと大きな秩序の部分とみなしていました。その秩序とは宇宙の秩序であったり、「存在の大いなる連鎖」であったりしたわけです。人間はそうした秩序のなかで、天使や天体、そしてわたしたちの仲間である地上の被造物とともに、おのれにふさわしい位置を占めたのです。宇宙のなかのこのような階層秩序は、人間社会の階層制度に反映されました。ひとびとはたいてい、あらかじめ与えられた位置に、各人にふさわしいとされる役割と身分とに閉じ込められ、そこから逸脱することなどほとんど考えもつきませんでした。近代的な自由は、そうした秩序が信用を失うことによって出現したのです。

そのような秩序は、わたしたちにとってなるほど軛ではありますが、しかし同時に、この世界に意味を与え、社会生活におけるさまざまな活動に意味を与えるものでもありました。わたしたちをとりまいている事物は、わたしたちの目論見に供される原料や道具となりうるものでしかないのではありません。それらの事物には、存在の連鎖に占める位置に応じてしかるべき意味が与えられてもいたのです。ワシは鳥の一種にすぎないのではなく、全動物界の王でもありました。同じようにして、社会のさまざまな儀礼と規範は、たんなる道具としての意味以上の意味をもっていました。こうした秩序の信用が失われることが、いわゆる世界の「魔術からの解放」だったわけですが、それとともに、事物はその魔力の一部を失うことになったのです。

これがはたしてまぎれもなくよいことであったのかどうか、活発な議論が十八世紀以来、続けられてきました。とはいえ、わたしがここで焦点を合わせたいのはそのことではありません。わたしが考察したいのはむしろ、近代が人間の生活と意味にもたらした重大な帰結だとみなされてきたことがらの方なのです。

個人は自分より大きな社会、大きな宇宙という行為の地平を失った。そしてそれとともに、何か大事なものを失った——こうした懸念が繰り返し表明されてきました。生の英雄的な次元が失われたのだ、そう記した者もいます。ひとびとはもはや、より高い目的の意識も、死を賭すに値する何ものかの意識ももたない。十九世紀にはアレクシス・ド・トクヴィルが、折にふれて同じようなことを語っています。トクヴィルはそういう時、デモクラシーの時代にあって人々は「矮小で俗っぽい快楽」を追い求めがちになると指摘したものでした(1)。わたしたちは情念の欠如に苦しんでいるのだ、そう表現されることもありました。キルケゴールが「現代」を見つめたときの言い回しです。そしてニーチェの「末人たち」は、こうした没落のどん底に、それも究極のどん底にいます。かれらは生のうちに、ただ「みじめな安逸」(2)への熱望だけを残しているというわけです。

このような目的の喪失は、視野の狭窄と結びつけられました。個人の生活にばかり関心を寄せるようになったため、ひとびとはもっと広い視野を失うことになったのだ、と。トクヴィルによれば、民主的な平等には個人の関心を自分に向けさせ、「ついには自分ひとりの孤独な心に閉じこもらせてしまう危険」があります。(3) いいかえれば、個人主義には何ごとも自己を中心にするという暗黒面があって、それがわたしたちの生を平板で偏狭にし、意味の乏しいものにし、他者や社会に対する関心を低くさせているというわけです。

近年ではこうした懸念が――誰もが知っている現代の決まり文句から三つばかりあげれば――「寛大な社会」の報いを案じ、「ミーイズム世代」の行状に眉をひそめ、「ナルシシズム」の蔓延を憂うという形で、ふたたび表面化してきています。生が平板で偏狭になってしまったという感覚、そういった事態は常軌を逸した嘆かわしい自己陶酔に関係しているという感覚が、現代文化に特有の形をとって舞い戻ってきたのです。わたしが取り組もうとする第一のテーマの輪郭は、以上のように描き出されるでしょう。

(二) 世界の脱魔術化は近代の別の現象に、しかもとてつもなく重要な現象に関係しており、これまた多くのひとびとを大いに悩ませています。その現象は道具的理性の優位と呼ぶことができるでしょう。「道具的理性」(instrumental reason)ということばで意味しているのは、所与の目的に対するもっとも経済効率の高い手段は何か、その適用を計算するとき用いるタイプの合理性のことです。その場合の成功のものさしは最大効率、すなわち、費用対効果の最適比率にほかなりません。

古い秩序が一掃されたことで、道具的理性のはたらく領域はとめどなくひろがっていったはずです。社会がもはや聖なる構造をもたなくなれば、つまり、社会における行為の位置づけや様式がもはや事物の秩序にも、神の意思にも基礎づけられなくなれば、そうした行為の位置づけにしても様式にしても、ある意味、その気になれば誰でも変えられるものになります。いいかえれば、社会における行為の位置づけも様式も、個人の幸福と福祉という目標をどれだけ実現するかという観点から新しく設計し直すことができるというわけです。そうなれば以後、適用されるものさしは道具的理性のそれになります。同じようにして、わたしたちをとりまく被造物は、存在の連鎖に占める位置に応じて与えられていた意味を失ったとたんに、わたしたちの目論見に供される原料なり道具としてあつかわれざるをえないようになったのです。

こうした変化はなるほど、一面では解放の役割を果たしてきました。しかしまた、道具的理性がその勢力範囲を拡大してきているうえに、わたしたちの生を支配するおそれまで出てきたことに対して、不安の念がひろがってもいます。つまり、別の基準ではかられるべきことがらが、効率や「費用便益」分析の観点から決定されるようになることへの危惧の念であり、わたしたちの生を導いてゆくべき〔効率性から〕独立した諸目的が、出来高を最大化せよという要求に侵食されてゆくことへの危惧の念です。これが杞憂に終わらなかった例は枚挙にいとまがありません。たとえば、経済成長の要求をもちだして、はなはだ不平等な富と所得の分配を正当化するやり方しかり、またその同じ要求のために、環境の危機に対して、それどころか放っておけば大災害につながる事態に対してさえ、わたしたちを無感覚にしてしまうやり方しかりです。あるいはほかにも、大部分の社会計画が費用便益分析の形式に支配されている状態を考えることができるでしょう。リスクの査定のように実に重要な分野で、人間の生命にドル査定を加えるといったグロテスクな計算がまかり通っているのです(4)。

道具的理性の優位はまた、テクノロジーをとりまく威信と「後光」のうちにもはっきり見てとれます。道具的理性の優位のせいで、わたしたちはまったく別の何かが求められている場合でさえ、テクノロジーによる解決(5)を追求すべきだと信じるようになっています。そしてベラーと彼の同僚が新しい著書で力説しているとおり、政治の世界にあっても、道具的理性の優位は実によく目につきます。しかしそれだけではありません。道具的理性の優位は、医学のような他の諸領域にも押し寄せています。パトリシア・ベナーは数々の重要な著作のなかで、次のように論じています――ケアの本質には、患者を技術的な問題の在処として処置するのではなく、人生の来歴をもった一個の全体をなす人格として処遇することが含まれている。ところがこうしたケアの本質は、多くの場合、テクノロジー中心の医学のアプローチによって抑え込まれてしまう。しかも、そのような人間らしい感受性に満ちたケアを提供しているのはたいてい看護師であるのに、社会も医療機関も、高度な科学技術の知識をもった専門家の貢献に比して、看護師の貢献を軽んずるのが常なのである、と(6)。

テクノロジーが支配的な地位を占めるようになったことは、さらに第一のテーマとの関連で議論してきた事態、つまり生が偏狭で平板になってゆく事態の一因でもあったと考えられます。人間をとりまく事物はもはや、人間の心と響き合うことをやめ、その深さも豊かさも失ったと言われてきました。ほぼ一五〇年前、マルクスは『共産党宣言』のなかで、資本主義的発展の帰結のひとつは「いっさいの常在的なものが煙のように消える」ことであると述べました。マルクスが言わんとしたのは、これまでわたしたちの役に立ってきた常在的な物、耐久性のある物、その多くは表情豊かであった物が、寿命の短い、見かけだけの、取り替え可能な商品にとってかわられ、いまやわたしたちの周囲はそうした商品で埋め尽くされているということでした。またアルバート・ボーグマンは、「機械仕掛けのパラダイム」について語っています。このパラダイムのためにわたしたちは、環境との「多面的な結びつき」からますます身を引いてゆき、そのかわりとして、ある限定された利益を提供すべく設計された生産物を欲しがり、購入するようになっているというのです。ボーグマンは住まいの暖房をとりあげ、現代のセントラルヒーティング型暖房によってもたらされるものと、住まいの暖房というその同じ機能が開拓者の時代――家族ならばひとり残らず、薪を割って積み上げ、ストーブや暖炉にくべる仕事をこなさねばならなかった時代――にもたらしたものとを対照しています。(7) そしてハンナ・アレントは、近代では物の有用さがまたたくまに失われてゆくことに焦点を合わせ、「人間世界の現実性と確実性は、なによりもまず次の事実に、すなわち、わたしたちが物に囲まれているという事実、その物を生産する活動よりも永続的な物に囲まれているという事実にもとづいている」(8)と論じました。近代の商品世界では、そうした事物の恒久性が脅かされているのです。

このような脅威の感覚は、なぜテクノロジーが優位するようになったのか、その由来が知られるにつれて高まってゆきます。テクノロジーの優位は、近代という時代に刺激され、誘惑され、気づいたらたまたまそうなっていたというだけでは片づきません。もしそれで済むのであれば、なるほどテクノロジーの優位を覆すわけにはいかないとしても、せめてこちらの言い分に耳を傾けさせることぐらいはできるでしょう。しかし、社会生活の強力なメカニズムがテクノロジーの優位をわたしたちに強制していることもはっきりしています。経営者であれば、自分の個人的な立場がどうであれ、市場の制約によって最大化戦略をとらざるをえない場合があります。たとえその戦略が、個人としては破壊的なものに思われたとしてもです。また官僚であれば、自分の個人的な見識がどうであれ、職務遂行上の規則にしたがって決定を下さざるをえない場合があります。たとえその決定が人間性と良識とに反するものだと知っていても、官僚たる者としてはそうしないわけにはゆかないでしょう。

マルクスやウェーバーや他の偉大な理論家たちは、こうした非人格的なメカニズムを探求してきました。ウェーバーはそれを「鉄の檻」と表現し、その非人格性を喚起していえます。そしてこれらの分析からは、非人格的諸力の前にわたしたちはまったく無力であるといった結論や、過去数世紀わたしたちがそのもとで動き回ってきた諸制度の構造——すなわち市場と国家——を完全に解体するのでなければどのみち無力なのだといった結論が、好んで引き出されたりもしました。しかし今日、市場と国家の解体をどれほど望んだとて実現はおぼつかない以上、そのような結論は、わたしたちには救いがないと宣言するのにひとしいものとなります。

この点については後でまたとりあげることにしましょう。ただわたしは、こうした抜きがたい宿命論は抽象的であり、また誤ってもいると思います。わたしたちはいっさいの自由を奪われたわけではありません。わたしたちが目的とすべきは何であるかをよくよく考え、わたしたちの生のなかで道具的理性が果たす役割は現にそうであるよりも小さくあるべきではないかと、熟慮することもひとつの手です。とはいえ、さきの分析からすれば、諸個人のものの見方を変えるのは大事だけれども、それだけでは問題は片づかないということも真実であり、「感性と知性」ともどもの戦いは重要だけれども、それがすべてなのではないということもまた真実です。この領域での変化は、制度的な変化でもなければなりません。たとえそれが、偉大な革命の理論家たちが提唱したほど徹底的かつ全面的ではありえないとしてもです。

(三) 以上のことからわたしたちは、政治の次元へと導かれるとともに、政治的な生に対して個人主義と道具的理性がもたらす憂慮すべき帰結へと導かれます。そのひとつについてはすでに触れたとおりです。産業–テクノロジー社会の制度と構造によって、わたしたちの選択はがんじがらめにされています。そして個人ばかりか社会までもが、道具的理性に重きをおかざるをえなくなっています。しかし道徳について真剣に熟慮するとき、いったい誰が道具的理性に重きをおいたりするでしょうか。それどころかそうすることは、きわめて有害でさえあるでしょう。オゾン層の破壊をはじめとする環境災害によって、いまやわたしたちの生は存亡の瀬戸際に立たされているというのに、遅々として対策が進まない現状などはその典型です。道具的理性を中心にしてつくりあげられた社会は、個人からも集団からも、自由の大半をもぎ取ってしまうものであるように思われます——というのも、非人格的諸力によって形づくられるのは、わたしたちが社会的に下す決定ではないからです。それならせめて個人のライフスタイルだけでも維持したいところですが、それもまた難しいと言わざるをえません。近代都市のつくりはその一例です。ひとつの都市がまるごと、車なしにはうまく機能しないつくりになっていたりします。このことはとりわけ、自家用車優先の都市、そのために公共輸送機関が廃れつつある都市に当てはまるでしょう。

しかし自由の喪失には、もうひとつ別の形があります。これまたひろく議論されてきたことですが、なかでも真っ先に思い起こされるのはアレクシス・ド・トクヴィルの議論です——しまいには誰もが「自分の世界にひきこもった」個人になってしまう社会とは、積極的に自治に参加しようと思う者などほとんどいない社会である。ときの政府が、私生活を満足させる手段をつくりだし、ひろく分配しているかぎり、そうした社会に生きるひとびとはむしろ、家にいて満ち足りた私生活を享受する道を選ぶことだろう……。

ここから、トクヴィルが「穏やかな」専制（soft despotism）と呼んだ新しい専制の危機、近代ならではの新しい形をした専制の危機が訪れます。この新しい専制は、かつてのようなテロルと抑圧の暴政ではありません。政府はいたって柔和であり、父親のように情け深い。しかし実際には、定期的に選挙をして、デモクラシーの形態を維持することだってありえます。しかし実際には、「巨大な後見的権力」[2]の手ですべてが取り仕切られており、しかもひとびとは、その権力に対してほとんどなす術がなくなっているのです。このような権力に対する唯一の防波堤としてトクヴィルが考えたのは、統治のさまざまな段階に参加することに意義を認め、さらに自発的なアソシエーションに参加することにも意義を認めるような、活気に満ちた政治文化でした。ところがそのゆくてには、自分のことにしか関心のない個人というアトミズム（atomism）が立ちはだかります。参加することがおっくうになれば、そして参加を促していた横のアソシエーションが生気を失ってしまえば、ひとりひとりの市民は巨大な官僚制国家の前にひとりぼっちで取り残され、当然のことながら、自分は無力だと感じるようになります。このことが市民の意気阻喪にますます拍車をかけ、穏やかな専制の悪循環ができあがるのです。

こうして公的領域から疎外され、その結果、政治的に何の力ももちえなくなってしまうという事態が、わたしたちの政治の世界、中央集権化のすすんだ官僚的な政治の世界に起こっているのかもしれません。現代の思想家の多くが、トクヴィルの著述を現代への予言とみなしてきました。[10] もしトクヴィルの言ったとおりだとすれば、わたしたちがいままさに失わんとしているのは、自分たちの運命を政治的に支配する力であることになります。その力は市民として共同で行使する以外にない力であり、それこそはトクヴィルのいう「政治的自由」にほかなりません。いま危機に瀕しているのは、わたしたちの市民としての尊厳なのです。なるほど、さきの非人格的メカニズムによって切り詰められてゆくのは、一個の社会としての自由の度合い〔であって個人としてのそれではない〕かもしれません。しかし政治的自由を失うならば、たとえ選択の余地が残されているとしても、その選択はもはやわたしたちの選択、わたしたちが市民としてみずから下す選択ではなく、責任を問われない後見的権力が下す選択でしかなくなってしまうことでしょう。

さて以上が、わたしが本書でとりくもうとする三つの不安、近代〔に特有〕の三つの不安です。まず第一に、いわゆる意味喪失についての危惧が、いいかえれば、道徳の地平が消失することについての危惧があります。第二の危惧は、わがもの顔の道具的理性を前にして、目的が侵食されてゆくことへの危惧です。そして第三には、自由の喪失をめぐる危惧があります。

もちろん、こういったことはどれも論争を呼び起こすでしょう。わたしが語った懸念はひろくゆきわたったものですし、言及したのは名の知れた著作家ばかりですが、見解の一致はどこにも見出せません。これまでに見たような懸念を形としては共有するひとびとのあいだでさえ、それらがどうやって定式化されるべきかという点では喧々囂々の議論になるのです。おまけに、そのような懸念について深く考えもせずに、さっさと片づけてしまいたがる者も少なくありません。かれらは批判者の言う「ナルシシズムの文化」にどっぷり浸かっているわけですが、そうしたかれらの考えでは、〔現代の文化と社会に〕異議を唱えているのはもっと昔のもっと抑圧的な時代に憧れる連中にすぎないというわけです。近代的なテクノロジー中心の理性に深く傾倒しているかれらからすれば、道具的理性の優位を批判する連中は、科学が世界に与える恩恵を否定しようと目論む反啓蒙の反動主義者だというところでしょう。さらにまた、消極的自由一点張りの者もいます。かれらの信じるところによれば、政治的な自由の価値は過大に評価されているのであって、わたしたちが目指すべき社会とはむしろ、科学的な管理が各人の最大限の独立と結びついた社会だということになります。近代をめぐっては、何が何でも反対のひとたちだけでなく、何が何でも賛成のひとたちもいるのです。

何ひとつ一致しないまま、しかし論争は続いてゆきます。ところがこの論争の過程では、発展というものに対して一方からは非難の声が、他方からは讃美の声があがりながら、当の発展のもっとも重要な本質については、たいていは誤解されたままなのです。その結果、道徳的選択は実際どのようにして下されるべきなのか、その本質がはっきりしなくなってしまいました。わたしがとくに主張しようと思っているのは、近代に手放しで賛成するひとたちが推薦する道も、近代にはなから反対するひとたちが奨励する道も、とるべき道としてはどちらも正しくないということです。しかしだからといって、たとえば個人主義とテクノロジー、そして官僚支配の利益とコストのあいだでたんにトレードオフをすれば、何か答が見つかるというものでもありません。近代文化の本質はもっと微妙で、もっと複雑なものです。わたしが主張したいのは、近代にとにかく賛成の者も、とにかく反対の者も、ある意味ではどちらも正しいけれど、その正しさは、利益とコストのたんなるトレードオフによっては正当に評価できないということです。なるほど、わたしが描いてきたどの発展を見ても、そこには賞賛に値する多くのものがあると同時に、卑しむべきもの、恐るべきものも数多く存在します。しかし、その二つのものの関係を理解することは、次の点を了解することにほかなりません。すなわち、プラスの成果と引き換えに、不都合な結果にどれだけの代償を支払わねばならないかが問題なのではなく、近代の発展をそのもっともすばらしい約束に向けて推し進め、卑しむべき形態へと失墜しないようにするにはどうしたらよいかが問題なのだということ、これです。

さて、これら三つのテーマすべてをそれ相応にあつかいたいのはやまやまなのですが、そのために必要なだけの紙幅はないので、近道をすることにしたいと思います。さっそく第一のテーマにとりかかりましょう。個人主義の危険と意味の喪失に関わるテーマです。この議論については、かなり詳しくたどることになるでしょう。そして、この論点がどのように論じられるべきか、いくつかの見解を引き出したのち、残りの二つの論点についても同じような論じ方でうまくゆくことを示します。したがって、第一の関心が軸になって、そこに議論の大半が集中することになるでしょう。それでは今日どのような形でこの問題が起こっているのか、さらに詳細に検討してゆきましょう。

第二章　かみ合わない論争

この問題をとりあげるにあたっては、合衆国で最近大きな話題となったアラン・ブルームの著書『アメリカン・マインドの終焉』*The Closing of the American Mind* が手がかりになるでしょう。『アメリカン・マインドの終焉』という本自体が異例の現象でした。いまどきの学生たちにひろまっているものの考え方をアカデミックな政治理論家がとりあげ、しかもその本が数カ月にわたって『ニューヨーク・タイムズ』のベストセラー・リストに載り続けたのですから。これには著者もずいぶん驚いたようです。ひとびとの琴線に触れるものがあったのでしょう。

この本の姿勢は、いまどきの教育ある若者たちを手厳しく批判するものでした。かれらの人生観に顕著な特徴としてやり玉にあげられたのは、なんとも底の浅い相対主義を受け容れている点でした。誰にだってそのひとなりの「価値観」がある。彼には彼なりの、彼女には彼女なりの「価値観」があるのであって、それを他人がとやかく言うことはできない、というわけです。しかしブルームが注意を促しているように、これは認識論上の立場、つまり、理性には何が証明できて何が証明できないかの見方にとどまるものではありません。道徳上の立場としても主張されているのです。他人の価値観に口をはさむべきではない。それはそのひとの問題、そのひとの人生の選択であり、そのようなものとして尊重されてしかるべきである、と。相対主義の基礎は、ひとつには、このお互いに尊重しあうという原則にあるのです。

相対主義とはそもそも、ある種の個人主義から派生したと言ってもいいでしょう。その個人主義の原則とはこうです——ひとは誰しも、自分がほんとうに重要だと思うこと、ほんとうに価値があると思うことにもとづいて、自分なりの生のあり方を発展させてゆく権利をもっている。自分自身に忠実であれ。自分にしかなれないものになれ。しかも、何をもって自分自身とするか、自分にしかなれないものとするかは、最終的にはひとりひとりが、彼ないし彼女自身で決めなければならない。彼ないし彼女以外のなんぴとも、その中身について指図することはできないし、またすべきでもないのだ——。

これは今日ではよく知られた立場です。そこには、自己達成（self-fulfillment）の個人主義とでも呼べそうなものが映し出されています。いまの時代、この個人主義はあちこちに見られます。西洋社会では一九六〇年代以降、とくに勢いを増してきています。これについては『アメリカン・マインドの終焉』の他にも、反響を呼んだ数々の著作のなかでとりあげられ、論じられてきました。ダニエル・ベルの『資本主義の文化的矛盾』*The Cultural Contradictions of Capitalism* もそうでしたし、クリストファー・ラッシュの『ナルシシズムの時代』*The Culture of Narcissism* や『ミニマルセルフ』*The Minimal Self* に、ジル・リポヴェツキーの『虚無の時代』*L'ère du vide* などもそうです。

これらの著作にはどれも――リポヴェツキーの場合はそれほど目立たないかもしれませんが――憂慮の念が滲み出ています。それはおおむね、わたしがさきに第一のテーマのもとであらましを述べたのと軌を一にしています。この個人主義は、一方でひとびとの目を自己に釘づけにし、そこから他方で、宗教的なものであれ政治的なものであれ、あるいは歴史的なものであれ、およそ自己を超えたところにあるもっと大事な問題や大切なことがらを見えなくさせたり、あまつさえそうした問題やことがらがあることにさえ気づかないようにしてしまう。その結果として生は偏狭な、平板なものになってしまうのだ、というわけです。[11] そしてこの懸念は、案の定、わたしの描き出した第三の問題領域へとあふれ出てゆきます。これらの著作家たちもまた、文化におけるこうした変動がもたらすかもしれない政治的な帰結、その惨澹たる帰結に憂慮を示すのです。

ところで、これらの著作家たちが現代文化に投げつけた非難には、わたしとしてもうなずける点が多々あります。じき説明するように、今日ひろく支持されているような相対主義は根本的に誤っていると思いますし、ある点では自分を愚か者にしてしまうようなものだとさえ思います。自己達成の文化がひとびとを惑わし、自分たちを超えたところにあることがらを見失わせているというのは真実かもしれません。また自己達成といっても、その形は陳腐化された、放縦と変わらぬものでしかないのも明らかなように思われます。こうしたことからなるほど、自分らしくあろうと躍起になっているひとたちのあいだに新しい様態の順応が生じるといった、なんとも不合理な結果に行き着くことさえありえます。それどころか、自分のアイデンティティに不安を覚えたひとたちが、科学の威信やらどこか風変わりな精神性で偽装した有象無象の自称専門家なり導師に救いを求めるといった、新しい形の依存が生じることさえあるでしょう。

しかしそれにもかかわらず、これらの著作家たちが差し出す一連の議論には、どこか受け容れがたいところがあるのです。このことが一番はっきり現れるのは、ブルームの場合でしょう。彼が自己達成の文化に対してあからさまに示す軽蔑の念のうちに、おそらくはこれ以上ないほど強烈な形で浮かび上がってきます。現代文化には力強い道徳的理想が息づいていること、たとえその現れ方においてどれほど本末転倒され戯画化されていようとも、ある力強い理想が現に息づいていることが、彼にはわかっていないようなのです。自己達成の背後にある道徳的理想とは、「自分自身に忠実であれ」という理想です。これは自己達成ということばを、近代に特有のしかたで理解したものにほかなりません。もう二十年ほど前になるでしょうか、そのことをライオネル・トリリングが、話題をさらった著書のなかで実に鮮やかに浮かび上がらせました。トリリングは、近代的な形の自己達成〔とその背後にある理想〕を簡潔にまとめあげ、それ以前のものからはっきり区別します。その区別は著書のタイトルに表現されています。そう、『〈誠実〉と〈ほんもの〉』*Sincerity and Authenticity* です。以下では彼にしたがって、現代の道徳的理想を表すのにこの「ほんもの」ということばを使うことにします。

では、道徳的理想ということでわたしは何を言おうとしているのでしょうか。それは、より善い生き方とかより気高い生き方とはかくのごときものであろうという生のイメージのことです。その場合、何が「より善い」のか、何が「より気高い」のかは、わたしたちがたまたま欲したり、たまたま必要としたりするようなものごとの観点からは定義されません。逆に、何が「より善い」のか、何が「より気高い」のかの定義の方が、わたしたちは何を欲するべきかについての基準を示すことになるのです。

さて、(ラッシュのいう)「ナルシシズム」や(ベルの叙述に見られる)「快楽主義」といったことばの真意は、次の点にあります。すなわち、「ナルシシズム」にせよ「快楽主義」にせよ、そこにはおよそ何の道徳的理想も息づいていないのであって、かりに息づいているように見えたとしても、それはむしろ、放縦と受けとられないようにするための煙幕とみなされるべきだということです。ブルームも述べています。「大多数の学生は、自負心にかけては誰にも負けないにしても、自分たちの頭のなかが自分の将来と仲間との関係でいっぱいなのを承知している。自己実現を云々するある種のレトリックのせいで、かれらの生活は魅力ある趣を呈しているが、かれらはそこにとくに高貴な要素などないことを知っている。現代は、生存主義が英雄崇拝にかわってひとびとの賞賛を受ける世の中である」、と。(12) わたしとてこうした物言いの当てはまるひとたちがいること、それも少なくないであろうことに異論はありません。

しかしだからといって、ここから現代文化における変化への洞察、わたしのいう道徳的理想の力への洞察が得られると考えるならば、それは大間違いです。そもそも、放縦とは違うように見せかけるための「粉飾」として、なぜ「自分自身に忠実であれ」という道徳的理想が利用されるのでしょうか。そのわけをこそ説明すべきではないでしょうか。そしてそうであるとするならば、わたしたちとしてはまず、当の道徳的理想について理解する必要があります。

ここで理解しなければならないのは、自己達成のような概念の背後にある道徳的な力です。これをたんに一種のエゴイズムとして説明しようとしたり、あるいは道徳が弛緩した状態、つまり、昔のもっと荒々しくて苛酷だった時代にあったような放縦として説明しようとするなら、すでに〔正しい理解への〕道を踏みはずしたことになるでしょう。「寛大さ」を云々していると、この点を見落としてしまうのです。道徳的なだらしのなさはいつの時代にもあり、わたしたちの時代にだけあるのではありません。説明しなければならないのは、現代に特有のことがらなのです。それは、立身出世を果たすために愛情に満ちた人間関係を台無しにしたり、子どもたちへのケアをないがしろにするといったことに尽きません。同じようなことはいつの時代にも存在したかもしれないのです。問題はそういったことではなく、今日では多くのひとびとが、人間関係や子どもたちへのケアを犠牲にしてでも立身出世を果たすよう命じられていると感じ、そうすべきだと感じ、そうしなければ自分の人生がなんだか無駄になってしまう、なんだか満たされないと感じていること、そのことにあるのです。

　したがって、こうした〔ブルーム流の〕批判において見失われているのは、ほんものという理想の道徳的な力だということになるでしょう。どうやらほんものという理想は、その現代版ともども信用に値しないとされているようです。このとき、ブルームらと反対側に立つことでほんものという理想を弁護できるならまだいいのですが、反対側に立てば立ったでがっかりする破目になるでしょう。ほんものという理想を擁護しようとすると、形のうえではある種の穏やかな相対主義（soft relativism）に近づいてゆきますので、およそ道徳的理想というものを強力に弁護することが禁じ手になってしまうのです。なぜなら、ほんものという理想にはついいましがた述べたように、ある生き方は実際に他の生き方よりも気高いという含意があるのに、個人の自己達成に寛大な文化はそうした主張にはとりあわないからです。このことは――つとに指摘されるように――寛大な文化の立場にどこか矛盾した、自滅的なところがあることを意味します。というのも穏やかな相対主義そのものが、道徳的理想から（部分的にせよ）力を得ているのですから。しかし矛盾があろうとなかろうと、これが一般に受け容れられている立場なのです。ほんものという理想は一個の公理、だれも異議をはさまず、さりとて弁護もしない、そんな公理のレベルにまで落ちぶれてしまっているのです。

この理想を受け容れるに際して、ほんものという〔理想の息づく〕文化——と呼ぶことにしたいのですが——のなかで生きているひとたちは、これまでにも他の多くのひとたちに擁護されてきたある種の自由主義を支持します。すなわち、中立の自由主義（liberalism of neutrality）です。この自由主義のもとになる教義は次のようなものです。自由な社会は、何が善き生を形づくるのかといった問いに対しては中立を守らねばならない。善き生とはひとりひとりの個人が、彼なりのやり方、彼女なりのやり方で探し求めるものであって、それゆえ、もし政府がこの問いに対して旗幟を鮮明にするようなことにでもなれば、その政府は公平性を欠くことになり、したがってまた、すべての市民を平等に尊重していないことになる——。[13]たしかに、これと同じ見解をとる著作家たちの多くは、穏やかな相対主義にも猛烈に反対します（ドゥオーキンとキムリッカはその急先鋒です）。しかしかれらの理論は、結局のところ、善き生とは何かをめぐる議論を政治的論争の周縁へと追いやってしまうものにほかなりません。

その結果、近代文化を形づくっている理想のひとつが、どうにもこうにもつかみどころのないものになってしまいます。このほんものという理想を敵視するひとたちは、それをそもそも理想としてあつかわず、味方するひとたちは味方しようにも、それを理想として語ることができない――こうなると論争がどっちに転んでも、このほんものという理想は後景へと追いやられてゆくことになり、しまいには影も形もなくなってしまいます。これが災いをなすことになるのですが、そのことに話を進める前に、そうした沈黙をさらに強める他の二つの要素に触れておこうと思います。

まずひとつは、わたしたちの文化における道徳的主観主義の威力です。道徳的主観主義とは次のような考えのことです。道徳上の立場といったところで、理性なり事物の本性なりに基礎づけられているわけではなく、つまるところ各人各様に採用しただけのものでしかない。それもそもそもは、自分がその立場に惹かれているようだからそうしただけのことである。この見解にしたがえば、理性には道徳上の論争を裁定する力などない。もちろん、誰かあるひとに対して、その立場の意想外の帰結、当人には思いもよらなかったかもしれない帰結を指摘することはできる。だからほんものという理想を批判するひとたちにしても、各人が自己達成に夢中になることで社会と政治にもたらされうる帰結を指摘するのはよい。しかし、対話の相手がそれでもなお自分の最初の立場を棄てたくないと思うなら、それ以上は一言たりとも反論できないのだ、というわけです。

どこからこうした考えが出てくるのかは複雑で、穏やかな相対主義の道徳的理由だけではとうてい説明がつきません。もっとも、穏やかな相対主義を裏でしっかり支えているのが主観主義であることははっきりしていますが。ともあれ、ほんものという〔理想の息づく〕現代文化にのめりこんでいる多くの人たちは、このような理性の役割(もしくは役割でないこと)の理解に喜んで与します。ただそれ以上に驚きなのは、かれらに反対するひとたちの大部分も同じだということかもしれません。またそうであればこそ、かれらは現代文化の改革にますます失望する破目にもなるのです。若者たちが自己を超えたところにある目標にまったく無関心だとしたら、何を言ったところで無駄ではないか、と。

もちろん、理性には基準があると主張して譲らない批判者もいます。(15) かれらの考えでは、人間には人間本性のようなものがれっきとして存在します。そしてその人間本性の理解から、この生き方は正しく、あの生き方は間違っているということや、この生き方はあの生き方よりも気高く、すぐれているといったことが示されるはずだと考えます。こうした立場の哲学的ルーツはアリストテレスにあります。反対に近代の主観主義者たちは、アリストテレスに対してきわめて批判的で、彼の「形而上学的生物学」などは時代遅れの、今日ではとうてい信じられない代物だと腐すのがふつうです。
しかし、このように人間本性なるものが存在すると考える哲学者たちは、概してほんものという理想には反対なのです。かれらはほんものという理想を、人間本性に根ざした基準からの不当な逸脱に属するものとみなしてきました。それゆえかれらにしてみれば、ほんものという理想の何たるかをはっきりさせる理由などないわけです。他方、ほんものという理想を支持するひとたちはといえば、その主観主義的な考えのために、当の理想を明確に表現することにいつも二の足を踏んできたのです。

さて、ほんものという理想が道徳的理想として重要であることをわかりにくくした第三の要素は、社会科学が通常ものごとを説明するときのやり方です。一般に社会科学がものごとを説明するときには、道徳的理想に訴えることを避け、もっと確実で、もっと現実的だと思われる諸要素を引き合いに出すものです。そしてそれゆえに、本書でわたしが焦点を合わせている近代のいくつかの特質、つまり個人主義と道具的理性の膨張は、たいていは社会変化の副産物として、たとえば産業化の副作用であるとか、流動性の昂進や都市化の副作用であるとか説明されてきました。そこにたどられるべき重要な因果関係があるのはたしかです。とはいえ、文化やものの見方におけるそのような変化には、当の変化にもともと備わっていた力、道徳的理想として備わっていた力によるところもあったのではないでしょうか。しかし因果関係に訴える説明は、そうした論点をはなから回避するのがつねです。たいていは、はっきり言わないまでも答はノー、といったところです[16]。

もちろん、新しいものの見方を生み出したとされるさまざまな社会変化は、それ自体として説明されねばなりません。またそのためには――産業化や都市の成長は人間がふっとぼんやりしている間にすっかりできあがってしまったのだと考えるのでもないかぎり――、何らかの形で人間の動機づけといったものを引き合いに出す必要が出てくるでしょう。わたしたちに必要なのは、いったい何がひとびとをある方向へと駆り立てたのか、たとえば生産への大々的なテクノロジーの応用であるとか、大規模な人口集中であるといった方向へと、わきめもふらず突き進むようひとびとを駆り立てたものは何だったのか、それを表す概念なのです。しかしもち出されてくるのは、多くの場合、道徳とは縁もゆかりもない動機づけです。道徳と縁もゆかりもない動機づけというのは、わたしがさきに定義したような意味での道徳的理想とはいっさい無関係にひとびとを行動に駆り立てるような動機づけのことです。実際これらの社会変化が、富や権力への飽くなき欲求であるとか、生き残るための、あるいは他人を支配するための手段といった観点から説明されるのにはしょっちゅうお目にかかります。そうしたものはどれも道徳的理想と編み合わされるはずなのに、その必要はないというわけで、富や権力への欲求、生き残りや支配の手段といった観点からの説明は十分に「確実」で、「科学的」だとみなされるのです。

個人の自由が勢いを増し、道具的理性が拡大していったいきさつを説明するには、個人の自由なり道具的理性の観念に本来備わっている力、それらの観念のもつひとを惹きつける力が手がかりになるとみなされる場合でさえ、当のひとを惹きつける力というのはたいてい、道徳には縁もゆかりもないことばで理解されます。いいかえれば、個人の自由や道具的理性といった観念の力は多くの場合、それらのもつ道徳的な説得力の観点からは理解されません。そうした観念が力をもつのは、それらがひとびとにさまざまな利益を授けるからだと、そう理解されるのです。個人の自由や道具的理性の観念に備わった道徳観などおかまいなしで、道徳観が備わっているかどうかということすら問題にされません。自由は各人がやりたいことをやらせてくれる。大々的な道具的理性の応用は欲しいものを、それが何であれ、もっと手に入るようにしてくれる、というわけです。[17]

こうしたことすべてのせいで、ほんものという道徳的理想はますます闇に包まれてしまいました。現代文化を批判するひとたちはおうおうにして、それを理想に値しないものとさげすみ、あまつさえ、誰にも口出しさせずにやりたいことをやろうとする欲求、道徳とは縁もゆかりもない欲求といっしょくたにしてしまいます。他方、現代文化を擁護するひとたちはといえば、かれら自身のものの見方のために、ほんものという道徳的理想については口ごもらざるをえません。そして現代の哲学世界にあまねくひろがる主観主義の威力と、中立の自由主義の勢力が、こうした論点については語りえないしまた語るべきでもないという印象を強めます。かてて加えて、社会科学はわたしたちにこう告げているように思われます——ほんものという〔理想の息づく〕現代文化のような現象を理解するには、説明の際に道徳的理想なぞを引き合いに出すべきではない。そうではなく、たとえば昨今の生産様式の変化であるとか、[18] 若年層の新しい消費パターンや豊かさの安定といった観点から、しかもそうした観点だけから見るべきなのだ、と。

これは問題ではないでしょうか。わたしはそう思います。それもかなりの問題です。現代文化を批判するひとたちが攻撃していることがらの多くは、このほんものという理想の堕落した形態であり、逸脱した形態です。いいかえれば、そうした堕落の形態、逸脱の形態もなるほど、そのほんものという理想から流れ出てきたものであり、またそれを地でゆくひとたちも同じ理想をもちだしてはきますが、しかし、当の理想の成就としてほんもの（！）を意味するかといえば、実際にはそうではないのです。その最たる例が、穏やかな相対主義にほかなりません。ブルームは、穏やかな相対主義には道徳的根拠があると見ています。「真理の相対性は理論的洞察ではなく、道徳的要請なのだ。それは自由な社会の条件であり、少なくともそう（学生たちは）理解している」[19]、と。これに対してわたしはこう主張したい——現実には穏やかな相対主義は、道徳的洞察の茶番であり、結局は当の道徳的洞察を裏切るものである。穏やかな相対主義は、ほんものという道徳的理想を斥ける理由になるどころか、そもそもそれ自体が自滅するほかないものなのだ、と。わたしならそう論じたいところです。

ほんものという理想に訴え、自己を超えたところにあるいっさいに目をつぶることを正当化する手合いに対しても、同じような指摘をすることができます。すなわち、過去は関係ないといって斥けたり、シティズンシップの要求や連帯の義務を拒んだり、自然環境のニーズを認めなかったりすることに対してです。さらに、他者を個人の自己達成の手段としてあつかうような関係性の概念を、ほんものという理想にかこつけて正当化することもまた、愚かさ丸出しの茶番とみなされるべきです。選択能力それ自体を最大化されるべき善として肯定するようなやり方は、このほんものという理想の鬼子なのです。

さてこうしたことが真実だとするならば、そのことについて語りうるということが重要になってきます。というのもその場合には、理の当然として、理想ならぬその逸脱形態に生を捧げているひとたちに向かって、語るべきことがあるからです。そのことがかれらの生に変化をもたらすかもしれません。そのうちのいくつかは聞き届けられる可能性があります。この点でほんものという理想の何たるかをはっきりさせることは、道徳的にもっともなことなのです。誤っているかもしれない見解を正すという意味でそうであるだけでなく、ひとびとの生きるよすがとなって久しい道徳的理想の説得力を、ひとびとの眼にもっとはっきりと、もっと活き活きと映し出すという意味でもそうなのです。そしてその理想をもっと活き活きさせることで、もっと充実した、もっと一貫した流儀で理想にしたがって生きる力を、ひとびとに与えることになるはずなのです。

わたしが提唱している立場は、現代文化にとにかく賛成の人たちからも、とにかく反対のひとたちからも区別されます。とにかく賛成の人たちとは違って、この文化にはどこにもまずいところはないなどとは思いません。この点ではとにかく反対のひとたちと一致することになります。しかしかれらとも違って、ほんものという理想は道徳的理想として真剣に受けとられるべきだと考えます。わたしはまた、さまざまな中間的立場とも意見を異にします。そうした立場では次のように主張されます。この文化にも(個人に対してかつてよりはるかに広範な自由が認められるといった)よい点が少なからずあるが、しかしそれらは(自分も市民のひとりであるという意識が希薄になるといった)危険と引き換えにもたらされるものである以上、最善の策とはすなわち、利益と損失との間でトレードオフが成立する理想的な地点を見つけ出すことである、と。

わたしが提示するのはむしろ、低俗化してしまったとはいえそれ自体はすぐれて価値のある理想の姿、いやそれどころか、こう言ってよければ、現代人であるかぎりけっして手を切ることのできない理想の姿です。したがって、わたしたちがしなければならないのは、片っ端から非難することでもなければ手放しで賞賛することでもなく、まして慎重にトレードオフの帳尻を合わせることでもありません。わたしたちがしなければならないのは、このほんものという理想を回復する作業であり、またそうすることによってこそ、わたしたちはこの理想の助けを借りて、自分たちの実践を立て直すことができるようになるのです。

この作業を進めるには、次の三つのことを確信しなければなりません。ただし、どれひとつとして論争をともなわないものはありません。(一)ほんものという理想は正当な理想である。(二) 理想について、また理想と実践との一致については、理にかなった議論ができる。(三) そうした議論は大きな変化をもたらすことができる。第一の確信は、ほんものという〔理想の息づく〕文化に対する批判の主旨に正面きって異論を唱えるものであり、第二の確信は主観主義を斥けることになります。そして第三の確信は、わたしたちが「システム」によって——資本主義のシステムとしてであれ産業社会のシステムとしてであれ、あるいは官僚制のシステムとしてであれ、どう定義するにせよともかく——近代文化に閉じ込められていると考えるような近代の説明とは相容れません。以下において、こうしたことをいくらかなりとも説得力のあるものにできればよいのですが。それでは、ほんものという理想から始めましょう。

第三章　ほんものという理想の源泉

　ほんものという倫理は比較的新しく、近代文化に特有のものです。十八世紀末に産声をあげたこの倫理は、十七世紀の個人主義を基礎にしています。十七世紀の個人主義といえば、まずデカルトを先駆者とする個人主義、遊離した合理性（disengaged rationality）の個人主義があります。そこでは各人に、自分自身の頭を使って、自分の責任でものを考えるよう求められました。そしてもうひとつ、ロックの政治的な個人主義があります。これは人格と彼または彼女の意思とを、社会的な義務よりも優先させようとする個人主義でした。しかしほんものという倫理は、ある点ではこうした十八世紀末から見ればひと昔前の個人主義と衝突してもきました。というのもほんものという倫理は、ロマン主義時代の落とし子であり、遊離した合理性を批判し、共同体の紐帯を認めないアトミズムを批判した時代の所産だったからなのです。

ほんものという倫理の発展を描き出すひとつのやり方は、人間は道徳感覚を授かっている、つまり、何が正しく何が間違っているか直観的に感じとる能力を授かっているという十八世紀の概念を出発点にすることです。こうした道徳感覚の教義のもともとの目的は、競争相手の見解――ものごとの是非を知るというのは結果計算の問題、とりわけ神の与える褒美と罰とに関わる結果計算の問題だとする見解――と戦うことにありました。ものごとの是非を理解するというのは、怜悧な計算の問題などではなく、わたしたちの感情と固く結びついたことがらなのだ、と考えたわけです。道徳性とはある意味、内面から発せられる声だったのです[20]。

ほんものという概念は、この内なる声という観念に生じた道徳的力点の移動から発展してゆきます。もともとの考え方からすれば、内なる声が大切なのは、なすべき正しいこととは何かをわたしたちに教えてくれるからでした。この場合、道徳感情との触れ合いが重視されるのは、正しく行動するという目的のための手段としてでした。ところが、道徳感情との触れ合いがそれだけで、しかもきわめて重大な道徳的意義をもつようになると、わたしの言う道徳的力点の移動が起こります。いまや道徳感情との触れ合いが、ほんとうの人間、完全な人間になるために達成すべきものになるのです。

こうした事態のいったい何が新しいのかを了解するには、もっと昔の道徳観とのアナロジーを了解しなければなりません。昔の道徳観では、たとえば神であるとか、あるいは善のイデアといった何らかの源泉と触れ合っていることが、完全な存在には不可欠なことだとみなされていました。ところがいま、わたしたちが結びつかねばならない源泉はわたしたち自身の奥底にあります。これは近代文化の大がかりな主観主義的転回の一部であり、新しい形の内面性にほかなりません。そのもとでこそわたしたちは、人間とは内的な深さをもった存在だと考えるようになったのです。とはいえ最初のうちは、道徳の源泉は内面にあるというこの観念も、わたしたちと神やイデアとの関係を排除するものではありませんでした。それどころか、神やイデアへと近づくのにふさわしい道とさえ考えられました。聖アウグスティヌスにとって神への道とは、わたしたちが自分自身についてもつ反省的な意識の経験でした。その意味では、道徳の源泉は内面にあるという観念は、聖アウグスティヌスが幕を切って落とした発展の延長線上にあって、それをさらに強化したものと見ることができます。

こうしてこの新しい考え方は、まず最初に一神論的な形を、すくなくとも汎神論的な形をとるようになります。そしてその後の発展を例証する人物こそ、そうした変化が生じるのに与かって力のあった哲学上もっとも重要な著作家、ジャン＝ジャック・ルソーそのひとです。ルソーが重要なのは、彼が変化の幕を切って落としたからではありません。むしろわたしの考えでは、ルソーがこれほどまでにうける理由の一部は、近代文化のなかですでに起こりつつあったことを彼がはっきりと表現した点にあります。ルソーは道徳性の問題をあつかうとき、たいていはそれを、内なる自然の声にしたがうにはどうしたらよいかという問題として提示しました。この内なる自然の声は、まずほとんどの場合、他者に依存することで引き起こされる情念によってかき消されてしまいます。そうした他者への依存の最たるものが「自己愛」であり、自尊心なのです。それゆえわたしたちの道徳的救済は、自分自身との道徳的な触れ合い、ほんものの道徳的な触れ合いを取り戻すところから来ます。そしてルソーは、この自分自身との親密な触れ合いに名前まで付けています。他のどんな道徳観よりも根本的なもの、喜びと満足の源泉——すなわち「存在感」と名づけたのです。(21)

ルソーはまた、これと密接に関係するある観念をもはっきりと表現し、実に大きな影響を及ぼしました。その観念とは自己決定的自由（self-determining freedom）——とわたしなら言い表したい自由——の概念です。自己決定的自由とは、わたしが自分に関することを自分で決めたときにこそわたしは自由であって、外からの影響で方向づけられるときにはそうではない、という観念です。自由の基準として見ればこれは明らかに、いわゆる消極的自由の基準を踏み越えています。なぜなら、他者から干渉されずに自分のしたいことが自由にできるという消極的自由は、わたしが社会や、社会に順応するならわしによって方向づけられたり、影響されたりしても、やはり自由として成り立ちえます。ところが自己決定的自由では、そうして外から押しつけられるすべてのものから身をもぎ離し、自分ひとりで決定することが求められるのです。

ここで自己決定的自由の理想に触れたのは、それがほんものという理想の本質をなすからではありません。二つの理想は明らかに別物です。とはいえ、この二つの理想は連れ立って発展してきました。ひとりの著者の仕事のなかで、ともに展開されることもありました。しかも両者の関係は複雑で、ぶつかり合うかと思えば分かちがたく結びついていたりします。そのため多くの場合、この二つの理想はいっしょくたにされてきました。そしてそのことがひとつの原因となって、わたしが論じるようなほんものという理想の逸脱形態が出てきたのです。この点については後でまた戻ってくることにしましょう。

わたしたちの政治的な生において、自己決定的自由とは巨大な権力の観念でした。ルソーの著作で自己決定的自由が政治的な形をとるのは、一般意思の上に打ち立てられた社会契約国家の概念においてでした。一般意思とは共同で行使する自由の形式ですが、まさにそれゆえに、自由の名のもとに一般意思に反抗することは何としても許すわけにはゆきません。こうした考えは、ジャコバン独裁に始まるとも言われる近代の全体主義にとって、知的な源泉の一つとなってきました。そして、カントがこの自己決定的自由の概念を純粋に道徳的なことばで、つまり個人の自律として解釈し直すのですが、自己決定的自由はやがてヘーゲルとマルクスに連れられて、政治の領域へと荒々しく舞い戻ってくるのです。

さてほんものという理想に話を戻しましょう。ほんものという理想が決定的に重要になるのはルソー以後に起きた発展のためですが、その発展からはもうひとり、ヘルダーの名が思い起こされます。彼もまた、この発展の幕を切って落としたというよりはむしろ、それを早くにはっきり表現した主要人物のひとりでした。ヘルダーは、人間らしいあり方といってもひとそれぞれ独自のやり方があるという考えを提唱しました。彼には彼自身の、彼女には彼女自身の「ものさし」がある、というのがヘルダーの言い方でした。(22) この考えは近代の意識に深く深く入り込んでゆきます。それはまた新しい考えでもありました。十八世紀も後半になるまでは、人間たちのあいだのさまざまな差異にこうしたヘルダーの言うような道徳的意義があろうなどとは、誰ひとり考えてもみませんでした。人間らしくあるにもこのわたしなりのやり方がある。人様のまねをするのではなく、自分なりのやり方で自分の人生を送ることがこのわたしに求められているのだ、というわけです。しかしこのことは、「自分自身に忠実であれ」ということに新たな重要性を与えます。すなわち、もしわたしが自分自身に忠実でなければ、わたしは自分の人生の何たるかを見誤り、このわたしにとって人間らしくあるとはどういうことかを理解できないことになるのです。

　これこそが、近代から現代へと伝わった力強い道徳的理想にほかなりません。この理想は自分自身とのある種の触れ合いに、自分の内なる自然との触れ合いに、またとない道徳的な重要性を与えます。この理想からすれば、内なる自然との触れ合いは喪失の危機に瀕しています。自己の外部のものに順応するよう強いられることもその原因のひとつですが、それだけでなく、自分自身に対して道具的な姿勢をとるために、おのれの内なる声に耳を傾ける能力を失ってしまったかもしれないからです。さらにこの理想は、そのひとだけの自己のあり方という原理――ひとりひとりの内なる声にはその声にしか語れないことがある――を導入することで、自己との触れ合いの重要性をますます高めてゆきます。「周りに合わせるべし」という要求に自分の人生をしたがわせるべきではない。そればかりか、生きるよすがとなる手本というものは、自分自身の外には見出せはしない。それはおのれの内面にしか見出せないのだ、と。

自分自身に忠実であるとは、そのひとだけの自己のあり方に忠実であることを意味します。そしてこのとき、そのひとだけの自己のあり方とは、自分だけがはっきりと表現し、自分だけが発見できるものだとされます。そのひとだけの自己のあり方をはっきりと表現するなかで、自分はまた自分自身を定義してもいるのであり、自分は他の誰のでもない間違いなく自分だけの可能性を実現しているのだ、ということになるのです。これこそは、ほんものという近代の理想の背景をなす理解であり、また自己達成や自己実現といった——たいていほんものという理想が暗示されている——目標の背景をなす理解にほかなりません。これこそが、ほんものという〔理想の息づく〕文化に道徳的な力を与えているのです。そのもっとも堕落した、馬鹿げた、陳腐化された形のものにまで、道徳的な力を与えているのです。「やりたいようにやる」とか「やりたいだけやる」といった考えが意味をもつのも、そのためなのです。

第四章　逃れられない地平

これまでにほんものという理想の起源をかなり足早にスケッチしてきました。後でもっと細かい部分を詰めてゆかなければならないでしょう。しかし、本章で推論してゆくのに必要なことを理解するには、さしあたってはこれで十分です。そこで、第二章の終わりに提起した三つの論争的な主張のうち、二番目のものをとりあげたいと思います。ほんものという〔理想の息づく〕現代文化にどっぷり浸っている人たちに向かって、はたして理にかなった物言いができるでしょうか。穏やかな相対主義に浸りきっているひとたちに向かって、あるいは、自分の栄達を棄ててでも尽くすべきものがあることを認めようとしないひとたち――たとえば、立身出世のためなら愛でも子どもでも、そして民主的な連帯でも、喜び勇んでさっさと投げ捨てるようなひとたち

――に向かって筋を通して意見することは、はたしてできるものなのでしょうか。

まず、わたしたちはそもそもどうやって推論するのでしょう。道徳上の問題について推論するときは、いつも誰かと一緒に推論するものです。あなたには話し相手がいます。あなたは相手の立場から推論を始めるか、その時点での二人の立場の違いから始めるかするでしょう。道徳的要求などまるで理解しないひとに話しかけるみたいに、一から十まで順々に推論したりはしないはずです。道徳的要求をいっさい受け容れないようなひととは、ものごとの是非について論じ合うことなどできないでしょう。ちょうど、わたしたちの周囲の知覚世界を受け容れまいとする人とは、経験的な問題について論じ合えないのと同じことです。(23)

さてしかし、わたしたちが思い描くのは、ほんものという〔理想の息づく〕現代文化に生きるひとたちと討論し合う姿です。そしてそのことは、かれらがこのほんものという理想に照らして、自分たちの生を形づくろうとしていることを意味します。かれらの好みという生《なま》の事実しかないわけではありません。当のほんものという理想から話を始めるならば、次のように問うことができるのです――この種の理想を実現するための条件、人間の生におけるその条件とはいったい何なのか。そしてこの理想が正しく理解されるならば、それはわたしたちにいったい何を命じることになるのか、と。この二つの問いが求めるところは絡み合っています。もしかすると、二つでひとつの問いになってしまうかもしれません。いずれにせよ二つ目の問いから、このほんものという理想の在処をもっとよく定義するようにしてみましょう。そしてひとつ目の問いについては、このほんものという理想にせよその他の理想にせよ、およそ理想の達成というものの条件となっている人間の生の一般的な特徴を明るみに出したいと思います。

以下では、こうした問いかけに関わることがらの例証となるような議論を二つ立ててみることにします。議論はごくごくおおざっぱで、どちらかというと、なるほどと思わせる論証がどんなふうに見えるかを示唆する性質のものになるでしょう。その目的はわたしの二番目の主張——こうした道徳上の問題について理にかなった議論はできるという主張——に説得力をもたせることであり、そしてそこから、ほんものという理想の在処についてもっとよく理解しようとする試みには実践的な意味があるのだと示すことです。

人間の生の一般的特徴として引き合いに出したいのは、人間の生が元来、対話的な性質のものだということです。わたしたちが人間の名に十分に値する行為者となり、自分自身を理解できるようになり、したがってアイデンティティを定義できるようになるのは、人間のもつ表現力豊かな言語を身につけることによってです。ここでは議論の目的にふさわしいように、「言語」をひろい意味で理解します。つまり「言語」とは、わたしたちが話すことばだけでなく、わたしたちが自分自身を定義するときに用いる他のさまざまな表現様式にまでわたります。それゆえここでの「言語」には、芸術の「言語」や身振りの「言語」、愛の「言語」といったものも含まれます。ただしわたしたちは、他者とのやりとりのなかでそうした「言語」の手ほどきを受けます。自分を定義するのに必要な言語を自分ひとりで身につけるというわけにはゆきません。わたしたちは自分にとって重要な他者――ジョージ・ハーバート・ミードのいう「重要な他者[24]」（significant others）――とのやりとりをつうじて、自分を定義するのに必要な言語を手ほどきされるのです。その意味で、人間精神の生成は「独白」によるものではありません。人間精神の生成は、彼ひとりの力、彼女ひとりの力で成し遂げられるものではなく、対話によるものなのです。

　しかもこのことは、人間精神の生成にだけ当てはまることではありません。もしそれだけのものでしかないならば、なるほど、時間の経過とともにその影響を無視することもできるでしょう。しかし、対話のなかでいったん言語を習得してしまえば、あとは自分の目的のために、自分ひとりで言語を使ってゆけるようになるというものではありません。たしかにこうした描写は、現代文化におけるわたしたちの状況を何ほどか言い当ててはいます。わたしたちは自分なりの意見を発展させ、自分なりのものの考え方を養い、自分なりのものごとへの態度を培うよう期待されます。しかもそのために、かなりのところまで自分ひとりで熟考することが求められます。しかし、アイデンティティの定義のような重要な問題の場合、ことが実際そのように進んでいるわけではありません。わたしたちはつねに、重要な他者がわたしたちのうちに承認しようとするアイデンティティとの対話のなかで、またときには闘争のなかで、自分のアイデンティティを定義しているのです。そしてわたしたちが成長し、重要な他者――たとえば両親――から独立した場合でさえ、またかれらがわたしたちの人生から姿を消してしまった場合でさえ、わたしたちが生きているかぎり、かれらとの会話は心のなかで続いてゆくのです(25)。

したがって重要な他者の貢献は、わたしたちの人生が始まるときのものであっても、生涯にわたってずっと残り続けるものなのです。わたしの話にここまではついてきたものの、それでもやはり、何がしかの独白の理想は手放したくないという向きもあるでしょう。なるほど、いまわたしがこうしているのは幼い頃に愛情を注ぎ、ケアをしてくれたひとたちのおかげなのだから、かれらの影響からすっかり自由になることとなどできはしないだろう。しかしそれでも、できるところまではとことん、自分ひとりの力で自分を定義するよう努力すべきである。できるだけ両親から受けた影響を理解し、両親の影響に振り回されないようになって、それ以上そうした依存関係に陥らなくてもすむようになるべきである。他者との関係性は、わたしを満たすのには必要だが、わたしを定義するには必要ではないのだ、というわけです。

これはお馴染みの理想です。しかしわたしには、人間の生のなかで対話というものが占める位置をあまりにも過小評価しているように思われます。この理想はあいもかわらず、対話というものをできるかぎり人間精神の生成にだけ限定しようとしています。この理想は見落としているのです。人生で何が善いことなのかの理解は、愛するひとたちと一緒にそうした善を享受するなかでずいぶん変わるものであり、また善のなかには、そうやって一緒に善を享受することではじめて経験できるようになるものがあるということを。そしてそのために、この理想のもとでは、愛するひとたちによってアイデンティティが形づくられるのを防ごうとあれこれ手を尽くし、なんとも痛ましい仲たがいをしてしまったりするのです。「アイデンティティ」ということで何を意味しているのか、考えてもみてください。わたしたちは「何ものなのか」、「どこから来たのか」、それこそがアイデンティティです。そのようなものとしてアイデンティティがあるからこそ、それを背景として、わたしたちの好みや欲求、意見、憧れといったものの意味が浮かび上がってくるのです。もし、わたしが何よりも価値をおくもののなかに、愛するひととの関わり合いのなかでしか経験できないものがあるとすれば、そのひとはわたしのアイデンティティにとって本質をなすことになるのです。

一部のひとたちにはこうしたことは、何としてでも払い除けたい軛のように見えるかもしれません。それはそれで、隠者の生を背後から衝き動かすものを理解し、あるいは現代文化にもっと馴染みの例を挙げるなら、孤高の芸術家の生を背後から衝き動かすものを理解するひとつの方法です。しかし見方を変えるならば、それすらもある種の対話性を希求するものと見ることができます。隠者の場合、対話の相手は神です。孤高の芸術家の場合、作品自体は未来の観衆――作品自体によって創り出される、いまはまだ黙せる観衆――に向けられています。芸術作品の形式そのものが、作品は誰かに宛てられたものだという性質を示しているのです[26]。しかし、芸術作品についてどう考えるにせよ、わたしたちのアイデンティティの形成と維持は――常人の生と訣別する英雄的な努力をするのでもないかぎり――生涯にわたって対話的であり続けるのです。

以下では、ほんものという〔理想の息づく〕文化がひろがりゆくなかで、この核心的事実が受け容れられてきたことを指摘しようと思います。しかしさしあたりは、まず一方でこうしたわたしたち人間の条件の対話的な特徴をとりあげ、他方でほんものという理想に本来備わっている要求をとりあげます。そしてそこから、より自己中心的で「ナルシシズム的」な現代文化の様式が明らかに不適当であることを示してゆきます。もっと詳しく言えば、わたしの示したい点は次のようになります。（a）わたしたちには他者とのきずなが要るということを顧みずに、あるいは（b）人間誰しももっているような欲求や憧れ以上のものから、もしくはそれらとは別のものから流れ出るさまざまな要求を顧みずに、ただ自己達成だけを選び取るような文化の様式は自滅的だということ、すなわちそうした流儀は、当のほんものという理想自体を実現するための諸条件を破壊してしまうということです。そこで、とりあげる順序は逆にして（b）の問題から始め、理想としての「ほんもの」それ自体の要求するところから論じてゆきましょう。

（一）自分自身を定義するとはどういうことで、他の誰でもない自分らしさの在処を決めるとはどういうことなのか、それがわかるようになると、〔そのためには〕何が重要なのかについての意識を背景にし〔て、それと照らし合わさ〕なければならないことに気づきます。自分自身を定義するということは、自分と他人との違いのなかで何が重要なのかを知ることなのです。なるほど、わたしはぴったり三七三二本の髪の毛をもつただひとりの人間かもしれません。シベリア平原のどこかの木とぴったり同じ背の高さかもしれません。でもそれで？　だから何だというのでしょう？　重要な真実をはっきり表現できるとか、ハンマークラヴィーアにかけては誰も真似できないような演奏ができるとか、先祖の伝承を再現することができるとか、そういった能力で定義し始めるなら、わたしたちは認識可能な自己定義の領域にいることになります。

違いは一目瞭然です。すぐわかるように、後の方の属性には人間らしい重要性があるし、そうした重要性をもっていることは誰でもたやすく見てとれるのに、前の方の属性にはそれがない――いいかえれば、これといった筋書きがないのです。なるほど、三七三二という数字が聖なるものとされるような社会があるやもしれません。その社会でならば、髪の毛が三七三二本あることは重要になるでしょう。しかしそれとて、三七三二という数字を聖なるものに結びつけたときの話です。

さきに第二章で、ほんものという〈理想の息づく〉現代文化が穏やかな相対主義へとすべり落ちてゆくさまを見ました。その穏やかな相対主義が、価値についての主観主義というひろくゆきわたった思い込みに、ますます拍車をかけることになります。ものごとが重要性をもつのは、ものごと自体に重要性があるからではなく、重要性があると思うからだ、というわけです。ものごとに重要性があるかどうかは、あると決めればあることになるし、知らず知らずにしても不承不承にしても、とにかく重要性があると感じさえすれば、あることにできるのだと言わんばかり。なんとも無茶な話です。生温かいぬかるみに足を突っ込んでつま先をぴくぴく動かすこと、それをもっとも重要な行為と決める――わたしだったらとてもそんなことはできません。何か特別の説明がないかぎり、そんな主張はとうてい理解不可能です（さきに見た三七三二本の髪の毛と同じです）。ぬかるみでつま先をぴくぴくすることこそもっとも重要なのだ、そう感じるのだと言うひとがいったいどんな感覚の持ち主なのか、わたしにはわからないでしょう。そうだとしたら、ぬかるみでつま先をぴくぴくすることが重要だと感じると言ったとしても、そのひとは何を意味することができるでしょうか。

しかし、何かしらの説明――ぬかるみは世界精神の基本物質であり、しかもつま先で触れ合うものなのかもしれません――さえあれば、ぬかるみでつま先をぴくぴくすることの重要性も理解可能になるのだとしたら、それは批判に向けて開かれていることになります。説明が間違っているとしたらどうだろう？　説明がうまくゆかないとしたら？　もっとうまい解説に置き換えられるとしたらどうだろう？　といった具合にです。こんなふうに感じる、というだけでは、とてもそのひとの立場を尊重する十分な理由にはなりえません。感じるというだけでは、何が重要かを決めることはできないからです。かくして、穏やかな相対主義は自滅することになるのです。

　ものごとが重要性を帯びるようになるのは、理解可能性という背景に照らしたときです。これを地平と呼ぶことにしましょう。そうすると、自分自身を定義するにもそれを意味あるものにすべきならば、ともかくもその地平を隠蔽したり、否定したりするわけにはゆかないことになります。というのもその地平に照らしてこそ、ものごとは重要性をもつようになるからです。そうした隠蔽や否定は自滅的なやり方なのですが、主観主義に染まったわたしたちの文明では、つねにそのやり方がまかり通ってきました。よくあるのは、複数の選択肢から選択することの正当性を強調するあまり、気づいてみると選択肢から重要性を奪い取っていたという場合です。たとえば、標準とは異なる性的指向を正当化するディスコースなどがそうです。そこでひとびとが論じようとするのは、異性愛の一夫一婦制だけが性的満足に達する唯一の方法ではないということ、したがって同性愛の関係に惹かれるひとたちにしても、自分たちが劣った道、価値の低い道に踏み込んでしまったなどと感じるべきではないということです。この議論は、ほんものという理想の近代的な理解とぴったり一致します。ほんものという理想における差異やそのひとだけの自己のあり方といった概念、多様性の受容といった概念とうまく調和するのです。こうしたつながりについては、後でもう二、三言つけ加えようと思います。ただそのつながりをどう説明するにせよ、「差異」のレトリックが、そして「多様性」のレトリック（ひいては「多文化主義」のレトリックさえも）が、ほんものという〔理想の息づく〕現代文化の核心に位置することは疑いありません。

ところが、ときとしてこのディスコースは、選択それ自体の肯定へとすべり落ちてしまうことがあります。どの選択肢にもひとしく価値がある。それはどの選択肢も自由に選択されるからだ。つまり価値を授けるのは選択それ自体なのだ、というわけです。ここで効いているのは、穏やかな相対主義の根底に横たわる主観主義の原理です。この原理は、選択に先立って重要性の地平が存在していることを暗黙のうちに否定します。最初に重要性の地平があって、価値のあるものとそれほどでもないもの、さらにまったく価値のないものが区別され、それから選択が行われるにもかかわらず、主観主義の原理は、重要性の地平が前もって存在することを否定するのです。するとしかし、性的指向の選択は特別な意味を失います。性的指向の選択といっても、好み——性のパートナーは背の高いのと低いのとどっちがいいか、ブロンドとブルネットのどっちがいいかといった好み——と何も変わらないことになります。こうした好みに関していいとか悪いとか、誰にしたって判定しようなどとは夢にも思わないでしょうが、それというのもそうした好みには、どれも重要性がないからです。好みというのは実際、どう感じるかということだけを拠り所にしています。性的指向を正当化する決定的な理由が選択に求められるとき、性的指向は好みといっしょくたにされてしまうことになりますが、そうなってしまうと、ある性的指向と他の性的指向の価値はひとしいと主張するはずだった当初の目論見は、巧妙にくじかれることになります。ひとしく価値があると主張されたはずの性的指向の差異は、重要ではないことになるのです。

同性愛への指向にも価値があると主張するには、違ったやり方が必要です。もっと経験的に、いうなれば同性愛と異性愛、それぞれの経験と生活は実のところどんなものなのか、その点を考慮しながら主張するのでなければなりません。どんなものでも選択したからには全部OKという理由だけで、アプリオリに、同性愛への指向には価値があると想定することはできません。

もしそのように想定するとすれば、価値の主張は、選択それ自体の肯定へと向かってゆくもうひとつの観念と結びついて汚染されることになります。その観念とは、さきにほんものという理想にしっかり編み合わされたものとして触れておいた観念、すなわち、自己決定的自由の観念にほかなりません。こうしたことがひとつの原因となって、価値の主張の決定的な要件として選択が強調されることになるのです。またそれは、穏やかな相対主義へとすべり落ちてゆく原因ともなっています。この点はまた後で、ほんものという理想を目指していながらどうやって逸脱が起こるのか、そのことを話題にするときあらためてとりあげましょう。

もっとも、さしあたり一般的な教訓として、重要性の地平を壊してしまうようなやり方ではほんものという理想は擁護できない、と言うことはできるでしょう。わたしの人生に意味があるとすれば、それはその人生がわたしによって選ばれたものだからだという感覚――ほんものという理想が自己決定的自由にもとづいている実例――にしても、次のような理解を拠り所にしています。すなわち、わたしの意思がどのようなものであろうとも、自分の人生を自分で形づくるということは崇高で、勇気のあることであり、したがって重要なことなのだという理解です。そこにはすでに一個の人間像があります。人間とはどのような存在なのか、ここに挙げた自己創造という選択肢をはじめ、そんなことははなからあきらめて流れに身をまかせ、大衆に順応するといったもっとお気楽な流儀まで、人間像はさまざまです。そしてそのなかから、あるひとつの像が人間の真実の姿とみなされるのです。発見されるのであって、決められるのではありません。地平はあらかじめ与えられているのです。

とはいえ、まだ先があります。地平があらかじめ与えられているというのは最低限のことであって、選択の重要性を確証するにはともかく、地平としては十分ではありません。それは性的指向の例で見たとおりです。なるほど、ジョン・スチュアート・ミルが『自由論』で主張するように[27]、わたしの人生がわたしによって選ばれたものであるということは大事かもしれません。しかし、数ある選択肢のなかに意味のある選択肢、他の選択肢よりも重要な選択肢がなければ、自分で選択するという観念自体が陳腐なもの、筋の通らないものになってしまいます。理想としての自己選択の観念が意味をなすのは、ひとえに、他の何にもまして重要な問題が存在するからにほかなりません。昼食のとき、ひなどりではなくステーキとポテトフライを選んだからといって、自分は自己選択をする人間なんだと主張するわけにはゆきませんし、ましてニーチェを受け売りして、自己創造をとやかくすることなど許されません。どの問題が重要なのか、それを決めるのはわたしではありません。もしわたしが決めるのだとすれば、どの問題も重要ではないことになるでしょう。しかしそうなれば、自己選択という理想それ自体が、道徳的理想として不可能になってしまうのです。

それゆえ自己選択という理想は、自己選択を超えたところに別の問題、重要性の問題があることを前提にしています。自己選択という理想は、それだけでは理想たりえません。なぜならその理想は、何が重要なのかが問われる地平を必要とするからであり、そうした問いこそが、自己創造が重要になるような観点を定義するのに一役買うからです。ニーチェにしたがえば、もしわたしが価値の目録を改造したなら、わたしは真に偉大な哲学者ということになるのでしょう。しかし、価値の目録を改造するとは、重要な問いに関係する諸価値を再定義することであって、マクドナルドのメニューを書きかえたり、来年のカジュアル・ファッションを新しくデザインするのとはわけが違います。

　人生の意味を追求し、自分自身を有意義な仕方で定義しようとする行為者は、重要な問いの地平に生きねばなりません。そしてそれこそは、自己達成にひたすら邁進して社会や自然の要求と対立する現代文化の流儀、歴史を隠蔽し連帯のきずなを見えなくさせる現代文化の流儀では、やろうにも自滅するほかないことなのです。こうした自己中心的で「ナルシシズム的」な現代文化の流儀は、実に底が浅く、陳腐なものになっています。ブルームが言うように、「平板で奥行きのない」ものになっているのです。とはいえ、なにもそうなったのは自己中心的で「ナルシシズム的」なあり方が、ほんものという〔理想の息づく〕文化につきものだからではありません。むしろそうした現代文化のあり方が、ほんものという〔理想の息づく〕文化の求めるところと真っ向から対立するからなのです。自己を超えたところから発せられる要求に耳を塞ぐならば、ものごとが重要性をもつための条件を隠蔽することになり、陳腐化を招くのは必定です。ひとびとがこうした状況で道徳的理想を追求する場合、そのように自己へと引きこもることは、自分で自分を愚かな状態に陥れるようなものです。自己へと引きこもることで、理想を実現する条件、そのもとでこそ理想が実現されうる条件を、みすみす破壊してしまうのですから。

違う言い方をするなら、重要なことがらを背景にして、その背景と照らし合わせることでしか、わたしは自分のアイデンティティを定義できないのです。しかるに歴史を、自然を、社会を、そして連帯の要求をも考慮の対象からはずし、自分自身のうちに見出されるもの以外はいっさい目もくれないようになれば、重要なことがらの候補となるものをあらかた摘み取ってしまうことになりましょう。歴史でも自然の要求でもいい、人間同士のニーズでもシティズンシップの義務でもいい、神のお召しでもいいしここに挙げた以外の何かでもいい、とにかくそうしたものが決定的な重要性をもつ世界に生きるとき、そしてそのときにだけ、わたしは自分のアイデンティティを、それも陳腐ではないアイデンティティを、自分の力で定義することができるのです。

ほんものという理想は、自己を超えたところから発せられる要求の敵ではありません。ほんものという理想はそうした要求を前提にしているのです。

しかし、もしそうだとすれば、ほんものという〔理想の息づく〕文化のひときわ陳腐化した様式にからめとられているひとたちに向かって、何も言えないわけではないことになります。理性は無力ではありません。もちろん、話はまだ始まったばかりです。自己を超越した問題のなかには、必要欠くべからざるものがあるということを示したにすぎません（これまでの論点（b））。そのなかでとくにこれが真剣に受け取られねばならない、と示したわけではありません。これまでの議論は見取り図でしかありませんから、後の章で（もう少し）詳しくとりあげたいと思います。ただ、さしあたりはもう一つの論点（a）に、つまり、他者とのきずなを否定するような自己達成のやり方には自滅的なところがあるのかどうかという論点にとりかかることにします。

第五章　承認のニード

（二）ほんものという〔理想の息づく〕現代文化への批判にはもうひとつ、以下のようなよく知られた流れがあります――ほんものという〔理想の息づく〕現代文化は自己達成をたんに個人的なことがらとして理解する傾向に拍車をかける。そのため、ひとびとが寄り集うさまざまなコミュニティやアソシエーションもまた、個人にとってのたんなる道具としての意味しかもたなくなってしまっている。こうした事態は、もっと裾野をひろげて社会のレベルで見るならば、コミュニティとの深い関わり合いというものと真っ向から対立する。その結果とりわけ政治的なシティズンシップは、政治社会に対する義務や忠誠の感覚と同様、ますますどうでもよいものになってしまう。[28]また、もっと親密な関係性のレベルで見るならば、そうした事態によってひととひととの関係性は自己達成に役立つものでなければならないという考え方が幅をきかせるようになる。すると、パートナーそれぞれの自己実現が先で、パートナーどうしの関係性はそこから派生してくるにすぎないことになる。こうした考え方では、生涯にわたって続くべき無条件のきずななどというものはほとんど意味をもたない。なるほど、パートナーどうしの関係性が死ぬまで続くことはあるだろう。しかしそれは、その関係性に込められた目的が満たされていた場合であって、パートナーどうしの関係性というのは死ぬまで続くはずだとアプリオリに示しているわけではないとみなされるのだ――こういった批判です。

このような批判の対象となった人生観が、一九七〇年代半ばに現れて評判になった本のなかにはっきり表れています。「中年期の旅に出発するとき、すべてを自分と一緒にもっていくわけにはいかない。あなたは、それらのものから遠ざかっていくのだ。組織や社会が要求しているものや、他人の計画しているものから遠ざかるということであり、外部からの評価やお墨つきから身を離すことである。つまり、役割から脱却し、自分というものの内部へと歩み入るのである。この旅に出るひとたちに何か贈り物をするとすれば、わたしはテントを贈る。仮の住処、もち運び可能な故郷という贈り物だ。……自分自身を愛し、他人を抱擁する能力が増大する機会、再び生まれ変わって、他者には真似のできないユニークな自分になれる機会は、わたしたち全員に与えられている。……自己発見の喜びはいつでも手に入る。愛するひとたちは、わたしたちの人生を出たり入ったりする。しかし、愛する能力はうつろわないのである[29]」。

ほんものという理想はここでもまた、自己を中心にすえる形で、つまりは他者との関係からわたしたちを遠ざける形で定義されているように思われます。さきに引用した批判でもそのことが問題とされていました。さてそれでは、これに対して理にかなった反駁ができるでしょうか。

議論のなりゆきを素描するにあたっては、まず次の点を理解しておくことが重要です。つまり、ほんものという理想には何がしか社会という概念が組み込まれているということ、あるいはすくなくとも、ひとびとが共に生きるにはどうすべきかについて何がしかの概念が組み込まれているということです。ほんものという理想は近代個人主義の一面です。そして個人主義というものは、個人の自由を強調するだけでなく、社会のモデルをも提唱します。これはすべての個人主義に当てはまる特徴です。さきに区別したように、個人主義にはたいそう異なる二つの意味があるわけですが、その二つを混同してしまうと、こうした個人主義の特徴を捉えそこなうことになります。

もちろん、社会的な基準や価値が見失われたり崩壊しているときの個人主義には、個人主義と結びついた社会倫理などありません。しかし、道徳の原理もしくは理想としての個人主義であれば、そこにはかならずや、個人が他者と共に生きるにはどうすべきかについて何らかの考えが提示されているはずなのです。

だからこそ個人主義の偉大な哲学者たちもまた、さまざまな社会のモデルを提唱したのです。ロックの個人主義は契約による社会の理論を提供しました。この形の理論はやがて、人民主権の概念と結びつくことになります。では自己達成の〔理想を掲げる〕現代文化はと言えば、一目見て明らかなように、社会的存在としての個人の二つのあり方とつながっています。その第一のあり方の基礎にあるのは、誰もが自分らしくある権利と能力とをもつべきだという普遍的権利の概念です。道徳の原理としての穏やかな相対主義——他人の価値観を批判する権利は誰にもない——の根底にあるのは、この普遍的権利の概念にほかなりません。そしてそのことが、〔自己達成の理想を掲げる〕現代文化にどっぷり浸ったひとびとを手続的正義の構想へと向かわせるのです。つまり、誰かの自己達成に制限を設けるとすれば、それは他のひとびとにも同じ自己達成の平等な機会を確保するためでなければならない、というわけです。(30)

第二に、〔自己達成の理想を掲げる〕現代文化がひときわ重きをおくのは親密な領域の関係性、なかでも愛情関係です。そうした関係性こそは自己探求と自己発見の最初の場であり、自己達成のもっとも重要な形のひとつだとみなされます。こうした考え方には、近代文化のなかで何世紀にもわたり連綿と続いてきたある風潮が映し出されています。その風潮のもと、善き生の重心はより高次の生の領域にではなく、わたしが「普通の生活」と呼んでいる領域に、いいかえれば、物をつくり出し家族と暮らす生活、仕事と愛情の生活におかれてきました[31]。しかし、右の考え方に映し出されているのはそれだけではありません。ここで重要な意味をもつ別のことがらも映し出されています。すなわち、わたしたちのアイデンティティには他者の承認が欠かせないということの認知です。

さきにわたしは、わたしたちのアイデンティティが他者との対話のなかで、いいかえれば、他者がわたしたちに与える承認と折り合いをつけたり、闘ったりするなかで形成されるさまについて述べました。ある意味、こうした事実を近代的な形で発見し明確に表現するようになったのは、ほんものといういまなお発展しつつある理想との密接な結びつきのなかで起こったことだと言えるでしょう。

さて、近代にはアイデンティティと承認が何よりの関心事とならざるをえなかったわけですが、そうなるのにともに与かって力のあった二つの変化を識別することができます。第一の変化は社会の階層制度が瓦解したことです。社会の階層制度は名誉概念の基盤でした。ここで言う「名誉」とはアンシャン・レジーム下の「名誉」であり、それはその本質からしてさまざまな不平等と結びついていました。この意味での名誉に浴する者にしてみれば、名誉の名誉たるゆえんは、誰もがその名誉に値するのではないという点にあります。モンテスキューが君主政について叙述する際に用いたのも、この意味での名誉にほかなりません。名誉とは本質的に「優遇」の問題なのです。[32] そしていまでも、誰かに名誉を与えることについて語るとき、たとえばカナダ勲章を授与して顕彰しようというとき、わたしたちは名誉ということばを同じ意味で使っています。当たり前のことですが、明日から大人のカナダ人全員にカナダ勲章を授与することにしたら、カナダ勲章には何の価値もなくなるでしょう。

こうした名誉の概念とは対照的に、わたしたちには尊厳という近代的な概念があり、生まれながらの「人間の尊厳」や市民の尊厳について語るときのように、今日ではこの概念は普遍主義的かつ平等主義的な意味で使われています。その基礎にあるのは、誰にもひとしく尊厳があるのだという前提にほかなりません。[33] こうした尊厳の概念こそは民主的な社会と両立しうる唯一の概念であり、それゆえにまた、かつての名誉という概念が片隅に追いやられてしまうのも致しかたないことでした。けれどもこのことはまた、平等な承認のあり方が民主的な文化の本質をなすということも意味します。たとえば、民主的な社会のなかでもアメリカ合衆国のようなところでは、御主人様とか奥様とか呼ばれる者もいれば、あだ名で呼ばれたり、敬意のかけらもなく呼び捨てにされる者もいるというのではなく、誰もがミスター、ミセス、ミスと呼ばれるべきであって、それはとても重要なことだと考えられてきました。そして近頃では同じ理由から、ミセス、ミスの区別は取り払われてミズに一本化されつつあります。デモクラシーは、平等な承認の政治が出現するのに一役買ったわけです。平等な承認の政治はいくつもの時代を経て、さまざまな形をとってきました。そして今日、異なる文化やジェンダーのあいだに平等な地位を要求する政治の形をとって、再びその姿を現したのです。

とはいえこの間、承認の重要性は大きく変化し、ますます強められてきました。それはほんものという理想とともに出現したアイデンティティ理解のせいでした。このこともまた、ある点では階層社会が衰退した結果です。かつての階層社会では、今日なら個人のアイデンティティと呼ばれるものはもっぱら、そのひとの社会的な地位と分かちがたく結びつけられていました。いいかえれば、あるひとがあることがらを重要だと承認するとき、そのひとがそのことがらの意味を了解する背景は大部分、そのひとが社会のなかで占める地位やそれと結びついた役割なり活動なりによって規定されていたのです。民主的な社会の到来がおのずからこうしたことに終止符を打ったわけではありません。ひとびとは依然として、自分たちを社会的な役割で定義することができたからです。アイデンティティを社会から導き出すこうしたやり方を根元から掘り崩したのは、ほかならぬほんものという理想でした。この理想が出現したとき、たとえばヘルダーの時代、この理想はひとりひとりに、他の誰にも真似できない自分らしいあり方を発見するよう求めました。他の誰にも真似できない自分らしいあり方——それは定義からして、もはや社会から導き出すわけにはゆかず、自己の内面から生み出されなければなりません。

しかし当然のことながら、自己の内面からといっても対話ではなく独白から生み出されると考えるなら、自己の内面からアイデンティティが生み出されることなどありません。それはさきに論証を試みたとおりです。自分のアイデンティティを発見するといっても、他者から孤立した状態でアイデンティティをひねり出すのではありません。アイデンティティの発見とは、ときには面と向かって、ときには心のなかで交わされる他者との対話をつうじて、自分のアイデンティティを定めてゆくことなのです。そしてそうであればこそ、内面から生み出されるアイデンティティという理想の発展が、承認に対してかくも新しく、かつ決定的な重要性を与えることになったのです。わたしと他者との対話的な関係が、わたしのアイデンティティを決定的に左右するのです。

ここで肝心なことは、こうした他者への依存がほんものという理想の時代に起こったことではありません。依存ということならいつの世にもありました。社会から導き出されるアイデンティティは、その本質からして社会に依存していたのですから。けれどもかつてなら、承認が問題として取沙汰されることなどありませんでした。社会から導き出されるアイデンティティは、誰もが当たり前とみなす社会的なカテゴリーにもとづいていたわけですが、まさにその事実からして、社会から導き出されるアイデンティティには社会の承認が組み込まれていました。ところが、内面から生み出される個人的なアイデンティティ、そのひとだけのアイデンティティの場合には、そのように最初から承認を当てにすることはできません。承認は他者とのやりとりをつうじて手に入れなければなりませんし、またそれゆえ、承認されないこともありえます。ですから、近代になって生じたのは承認のニードではなく、承認を求めても手に入れられないことがありうるという状況の方なのです。そしてそうであればこそ、いまになって初めて承認のニードが認知されるようになったのです。近代以前には「アイデンティティ」や「承認」について語られることはありませんでしたが、それは当時のひとびとに（わたしたちの言う）アイデンティティがなかったからでもなければ、アイデンティティが承認に左右されなかったからでもなく、わたしたちがしているように主題としてとりあげるには、アイデンティティも承認もあまりに疑問の余地のないものだったからなのです。

市民の尊厳や普遍的な承認といった観念のひこばえを――術語のうえでは同じでないにしても――ルソーに見出すことができるのは、彼が近代のほんものという理想をめぐるディスコースの原点の一つである以上、驚くべきことではありません。ルソーは階層社会の名誉――「優遇」――に対する辛辣な批判者でした。彼は『人間不平等起源論』の重要な一節で、社会が腐敗と不正に向かって転落しはじめる運命の瞬間を鮮やかに示しました。その瞬間とは、ひとびとが他人より優れていると認められたがるようになり出すときでした。[34] そしてそうした社会と対比して、公的なことがらへの配慮の視点を誰もがひとしく共有できる共和政の社会にこそ健全さの源泉があると考えたのです。[35] とはいえ、承認というテーマをめぐる議論に早い段階でもっとも大きな影響を与えたのは、やはりヘーゲルでした。[36]

今日では、承認が重要であることはあまねく認められています。それにはいくつかの形がありますが、親密な関係性の水準で言えば、重要な他者との関わり合いのなかでアイデンティティがいかにして形成されうるか、またどれほど歪められうるかは誰もが知るところとなっています。社会的な関係性の水準で言えば、平等な承認の政治が引き続き行われています。こうしたことはいずれも、ますますひろまりゆくほんものという理想によって引き起こされたのであり、それゆえにまた、ほんものという理想を核として興った現代文化のなかでは、承認が欠くことのできない役割を果たすようになっているのです。

親密な関係性のレベルでは、他の誰とも違う自分のアイデンティティにとって重要な他者からの承認がどれほど必要であるか、またそうしたアイデンティティが重要な他者から承認されることにどれほど影響されやすく、承認されないことにどれほど傷つきやすいかを知ることができます。ほんものという〈理想の息づく〉文化のなかでは、他者との関係性が自己発見と自己確認の基本的な場となります。これは驚くべきことではありません。愛情関係が重要なのは、近代文化がなべて普通の生活を充足すべしと強調したからだけではないのです。自己の内面から生み出されるアイデンティティのるつぼでもあるからこそ、愛情関係はきわめて重要なのです。

社会的な関係性のレベルでは、アイデンティティとは開かれた対話のなかで形づくられるものであり、前もって定められた社会の筋書き通りにするならかえって歪んだものになってしまうということが理解されるに至り、その結果、平等な承認の政治がますます中心に押し上げられ、ますます緊張をはらむようになりました。実際、賭け金は相当に上がっているのです。平等な承認があるのは健全な民主的社会にふさわしい状態です。しかしそれだけではありません。近代のひろくゆきわたった考え方にしたがえば、平等な承認を拒否することで、承認されなかったひとびとに傷を負わせることになります。ひとは劣ったイメージや卑しいイメージを投影されると、そうしたイメージが内面化されるに応じてほんとうに歪められたり、抑圧されたりしてしまうものなのです。現代のフェミニズムはもちろん、人種関係論や多文化主義の議論もまた、承認の拒否は抑圧の一形式たりうるという前提に大きく支えられています。なるほど、こうした要因が誇張されていないかどうかは議論のあるところでしょう。しかし、アイデンティティとほんものという理想についての理解が進むことによって、平等な承認の政治に新しい次元が切り拓かれたことは疑いようがありません。そしていまや平等な承認の政治は、少なくとも他人のイメージを操作して歪曲することへの非難に関するかぎり、ほんものという理想についての固有の概念とでもいったものを背景に展開されているのです。

このように過去二世紀にわたって発展してきた承認をめぐる理解と照らし合わせたとき、なぜほんものという〔理想の息づく〕文化が、さきにわたしが言及した他者と共に生きる二つの様式をとくに優れたものと認めるようになったのかを理解することができます。まず（一）社会的な関係性のレベルでは、決定的に重要なのは公正さの原理です。公正さの原理は、すべてのひとに自分独自のアイデンティティを発展させる平等なチャンスがあることを要求します。そのチャンスには――いまとなればいっそうはっきりと理解できるでしょう――差異の普遍的な承認が含まれます。ジェンダーの差異であれ人種の差異であれ、あるいは文化的な差異であれ、はたまた性的指向に関係した差異であれ、およそアイデンティティに関わる差異であればどんな形のものであっても、承認のチャンスが開かれていなければならないのです。そして（二）親密な関係性の領域では、アイデンティティを形づくる愛情関係が決定的な重要性を帯びることになります。

この章を始めるにあたってわたしが立てた問いは、次のような形で提起できるでしょう――自己を中心にすえる生のあり方が、さまざまなアソシエーションをもたんなる道具としてしかあつかわない態度につながらざるをえないとすれば、自己を中心にすえる生のあり方をほんものという理想の観点から正当化することはできるのだろうか、と。そしてこの問いは、いまやこういいかえることができるでしょう――ほんものという理想のもとで推奨されるような他者と共に生きる様式には、自己を中心にすえる生き方のような他者と絶縁した生き方の余地があるのだろうか、と。

（一）　社会的な関係性のレベルでは、答はずばりイエスだと思われるでしょう。どの差異の承認にしても求めているのは、わたしたちが何らかの手続的正義の原理を受け容れることのように見受けられます。市民の共和国なりその他の政治社会に対する強い忠誠心を披瀝するよう求められているわけではありません、誰もが平等にあつかわれるかぎり、わたしたちは「気を楽にしていられる」のです。実際、次のように言われることさえあります――何らかの確固とした共通善の概念にもとづく政治社会というものはそれ自体、まさに共通善の上に成り立っているというその事実のゆえに、一部のひとたち――その共通善の概念を支持するひとたち――の生活を他のひとたち――その政治社会が掲げるのとは別の善を追い求めるひとたち――の生活よりも是とし、結果として平等な承認を与えないことになるのだ、と。そしてすでに見たように、おおむねこれと同じような議論が、今日たくさんの支持者を集めている中立の自由主義の大前提になっているのです。

しかし、こうした議論はあまりにも単純です。第四章の議論を思い起こすなら、わたしたちはむしろ、ほんとうの意味で差異を承認しようとすれば何が問題になってくるのかを問わなければなりません。ほんとうの意味で差異を承認するとは、互いに異なるさまざまな生き方それぞれに平等な価値があるのだと承認することにほかなりません。こうした平等な価値の認知こそは、アイデンティティ承認の政治が求めていることなのです。ではいったい、価値の平等性は何にもとづくのでしょうか。さきに見たように、ひとびとが互いに異なる生き方を選択するという事実だけでは、それぞれの生き方が平等だということにはなりません。何かのきっかけで自分が他のひとびととは異なる性であること、異なる人種であること、異なる文化のうちにいることに気づいたという事実も解決にはなりません。たんなる差異はそれ自体では、価値が平等であることの基礎になりえないのです。

男性と女性が平等なのは、男性と女性のあいだに差異があるからではなく、そうした差異を超えてはるかに価値ある何らかの共通の属性が、あるいは互いに補い合うような属性があるからです。男性も女性も理性をはたらかせることのできる存在であり、愛し、記憶し、対話によって承認し合うことのできる存在です。双方が差異の相互承認――アイデンティティは異なっていても価値は平等であることの承認――へと歩みよってゆくためには、差異の相互承認という原理に対する信頼を分かち合っているだけでは足りません。それ以上のことが求められます。つまり、問題となっているアイデンティティは平等なのだと確証できるような何らかの価値基準をも分かち合っているのでなければならないのです。価値についての実質的な合意がなければならないのであって、さもなくば形式的な平等の原理は、空疎で欺瞞に満ちたものとなってしまうでしょう。平等な承認は大事だとか必要だとか、口先だけなら何とでも言えます。しかし、形式的平等や差異の相互承認といった原理よりももっと多くのものが分かち合われるのでなければ、平等とは何かについての理解をほんとうの意味で分かち合うことにはなりません。自己選択の場合と同じように、差異の承認もまた重要性の地平を、しかもこの場合には、共有された地平を必要とするのです。

しかし、だからといってわたしたちが共通の政治社会に帰属しなければならないことにはなりません。さもなくばわたしたちは、外国人を承認できなくなってしまうでしょう。また、重要性の地平を共有することが必要だといっても、それだけでは自分のいる政治社会をとにかく大事にしなければならない理由にはなりません。満たされなければならないニーズが他にもたくさんあるからです。とはいえ、ここから先の議論の筋道はもう見通せます。わたしたちのあいだで価値の共通性を発展させ、育んでゆくにはどうすればよいかということが重要な問題になります。そのために是非とも必要なことは、ひとつには政治に参加する生活を分かち合うことです。差異の承認を求めればおのずと、たんに手続的正義の枠内にとどまっているわけにはゆかなくなるのです。

（二）　では他者との関係性についてはどうでしょうか。他者との関係性を自己達成の道具とみなし、それゆえ他者との関係性とはそもそも仮初めのものでしかないとみなすことができるでしょうか。この問いに対する答はさっきよりも簡単です。他者との関係性がわたしたちのアイデンティティを形づくりもするのであれば、答はノー以外にありません。自己探求のための濃密な人間関係がアイデンティティを形づくってゆくのだとすれば、そうした関係は――悲しいかな破綻してしまうことがありうるとはいえ――原理的に仮初めのものでありえようはずはなく、たんなる道具でしかないなどということもありえません。アイデンティティはなるほど、変化するものです。しかしわたしたちは、これまで人生を歩んできたひとりの人間のアイデンティティとして、そしてこれからも人生を歩み、生涯を全うするであろうひとりの人間のアイデンティティとして、自分のアイデンティティを形づくっています。「一九九一年のわたし」のためにアイデンティティを定義したりはしないものです。わたしは自分の人生に意味を与えようとするわけですが、それはこれまで生きてきた人生に対してであり、しかも、これまでの人生がどうであったかを土台にして、その先の人生を思い描くなかでそうするのです。わたしのアイデンティティを定義するさまざまな関係性をなくてすむものだとか、取り替えが予定されたものとみなすことは原理的に不可能ですし、想定としてもありえません。もしわたしの自己探求がそうした読み切り連載のような、だいたいにおいてその場かぎりでしかないような関係性の形をとるとしたら、わたしが探求しているのは何か享楽の様相といったものであって、わたしのアイデンティティではないでしょう。

ほんものという理想に照らすならば、たんなる道具として他者との関係性をつくりあげることは、自分を愚か者にするような振る舞い方です。そんなやり方でも自己達成を追求できるという考えは幻想にすぎません。そこには、選択を超えたところにある重要性の地平を承認しなくとも自己選択はできるという考えに通じるものがあります。

さて、これまでのやや大ざっぱな議論から、ともかくも以上のようなことが示唆されます。もちろん、これで確たる結論が打ち立てられたとはとうてい言えません。ただ、理にかなった議論の射程がふつう考えられているよりもひろいものであって、それゆえ、アイデンティティの源泉をめぐるこの探求にももっともなところがあるということを、いくらかなりとも示唆できていれば幸いです。

第六章　主観主義へのすべり坂

　これまで、いわゆる「ナルシシズムの文化」をどう見たらよいかについて示してきました。「ナルシシズムの文化」とは、自己達成を人生の主要な価値とする一方、自己の外部からやってくる道徳的な要請や、他者との真剣な関わり合いはほとんど認めようとしない考え方がひろまっている事態のことでした。この二つの点で自己達成の概念は実に自己中心的なものに思われ、それゆえに「ナルシシズム」ということばがあてがわれたわけです。これに対してわたしは、この文化にはある倫理的な希《ねが》いが、つまりほんものという理想が部分的にせよ反映されていると見るべきであり、しかもその理想それ自体は、自己中心的な姿をとることを許容するものではないと述べてきました。このほんものという理想に照らすならば、自己の外部からやってくる道徳的な要請や他者との真剣な関わり合いを認めないことはむしろ、この理想からの逸脱として、この理想の陳腐化として現れてくるのです。

「ナルシシズムの文化」に対しては他によく知られた見方が二つありますが、わたしの見方はそれらとは対照的です。他の見方にあっては、（a）「ナルシシズムの文化」が自己達成という理想から力を得ていることを見抜きはしても、その理想をそこから帰結する実際の振る舞いと同じように自己中心的なものと理解するか、（b）「ナルシシズムの文化」はそもそも何らかの理想に衝き動かされてなどいない、と考えます。ただ現実には、これら二つの見方は混じり合ってひとつになりがちです。というのも、（a）で想定される理想は低級な、放縦の表現にすぎないようなものなので、実際には（b）と見分けがつかないからです。

さて（a）では要するに、ひとびとがきわめて自己中心的な形で自己達成を追い求める場合には、第四章と第五章で行った考察などおよそかれらの耳には届かないと想定されています。なぜかれらの耳に届かないのかといえば、かれらの希《ねが》いがわたしの追いかけているほんものという理想とは無関係か、かれらの道徳上の見解が理性とは縁もゆかりもないか、そのいずれかだからだということになるでしょう。つまり、ひとびとが第四章と第五章の考察に耳を貸さないと想定できるのは、ほんものという理想自体がとても低級な理想であって、放縦でいいじゃないかという真意が透けて見える底のものだと考える場合か、現代の〔文化に息づく〕理想が本来どんなものであれ、道徳上の確信などたんなる〔主観の〕投影であって、理性で改めうるような代物ではないといった主観主義の見解をとる場合です。

（a）の場合も、まして（b）の場合はなおのこと、ナルシシズムの文化はみずからのうちに何の葛藤もはらまないものとして描かれます。それもそのはずで、どちらの解釈においても、ナルシシズムの文化の実際のありようがそのまま理論にもちこまれているからです。ナルシシズムの文化の現実はそれが理想とする姿に一致している、だから議論を受けつけないのだ、というわけです。これとは対照的に、わたしの見方はナルシシズムの文化が緊張に満ちていることを示しています。そこではたしかにある理想が実践されています。しかしその理想は十分には理解されていませんし、もし正しく理解されたならば、実践されていることの多くが理想にかなっていないという疑いをかけられるでしょう。ナルシシズムの文化のもとでその理想を実践しているひとたちもまた、わたしたち人間の条件を共有しています。ですから、かれらの実践していることが議論の対象になりうることを示す人間の条件というものの特徴を、かれらに思い起こさせることもできるはずです。ナルシシズムの文化はある理想を実践してはいるものの、その理想を下回ったところにとどまり続けているのです。

ですがもしわたしの言っていることが正しいのならば、この事実は説明を要します。なぜナルシシズムの文化はみずからの理想に手が届かないのでしょうか。ほんものという倫理を陳腐なものにしてしまうこうした逸脱への傾向は、いったい何によるのでしょうか。

たしかにあるレベルでは、より自己中心的な自己達成の形をとろうとする動機づけが誰の眼にも明らかなほどはっきりしている場合がありえます。自己の外部からやってくる道徳的要請の場合と同じように、他者とのきずなもまた、個人の成長・発展とぶつかるのは避けがたいでしょう。立身出世のためには必要とされることが家族への義務と両立しなかったり、もっと大きな目的や原理原則への忠誠と両立しなかったりすることがあります。そうした外的な制約を無視できるなら人生はもっと楽になりそうです。実際、もろくて葛藤に満ちたアイデンティティに明確な形を与えようともがいているような情況では、外的な制約のことなど忘れてしまわなければとても生きていられないように思われます。

しかし、この種の道徳上の葛藤はつねに存在しているものなのではないでしょうか。

説明を要するのはむしろ、いまやかつてよりもずっと簡単に、そうした外的制約をきれいさっぱり忘れ去ったり、どうでもいいものと考えたりできるようになったことの方です。もし先人たちが同じような自己主張のやり方をするとしたら、かれらは間違ったことをしているという意識をどうにも追い払えずに、あるいは、そうでなくとも正当な秩序を公然と無視しているという意識を追い払えずに、自責の念にかられたことでしょう。ところが多くの現代人は、他のことなどおかまいなしにひたすら自分の能力の発展を追求して平気でいるような印象を与えるのです。

このことは、社会の領域に目をやると一部説明がつきます。わたしはさきに第二章で、近代文化の由来を説明して、それは社会の変化によってもたらされたのだと話しました。単純で複数の視点をもたない説明はおよそ正しいものではありえません。わたしもそう思いますが、それでも、社会の変化が近代文化を形づくるのに与かって大きな力を発揮したのは明らかです。たしかに、ある一定の考え方や感じ方がそれ自体、社会の変化を促進するというのはそのとおりでしょう。しかし、社会の変化が大規模に起こるときには、社会の変化が一定の考え方や感じ方を定着させ、それ以外の考え方や感じ方はないかのように思わせることがあるのです。

さまざまな形の近代個人主義の場合がまぎれもなくそうです。個人主義の観念は十七世紀に、とりわけ教養あるヨーロッパ人の思想と感性のなかで発展をみました。こうした個人主義の観念は、旧来の階層制度をよしとしない新しい政治の形が発展するのを助け、市場と企業家の事業経営により重要な位置を与える新しい経済生活の様式が発達するのを助けてきたように思われます。しかし、いったんこれらの新しい政治・経済の形が定着し、そのなかでひとびとが成長するようになると、この個人主義はだんぜん強化されることになります。なぜなら、いまや日々の実践のうちに、いいかえれば、ひとびとが生計を立てるしかたや、政治的な生のなかで他者と関係を取り結ぶしかたのうちに、個人主義が根をおろすことになるからです。こうして、個人主義以外の展望は思いもおよばないようになるのですが、しかし個人主義への道を開いた先人たちにとっては、けっしてそんなことはなかったのです。

　こうした定着のプロセスは、ほんものという「理想の息づく」文化のなかのすべり坂について説明する手がかりになります。さきに見たように、自己中心的な自己達成の形は二つの点で理想を逸脱したものでした。第一に自己中心的な自己達成の形には、他者や他の集団との結びつきをたんなる手段と化して、自己達成を個人中心にする傾向があります。いいかえれば、社会的アトミズムを推し進めてゆくわけです。さらに第二に、わたしたち自身の欲求や希いを超えたところからやってくるさまざまな要請

――歴史や伝統からの要請であれ、社会や自然からの要請であれ、さては神からの要請であれ――には目もくれず、あるいはどうでもよいものと考えて、自己達成を文字どおり自己だけに関わるものとみなす傾向があります。いいかえれば、極端な人間中心主義を助長するわけです。

社会的アトミズムと極端な人間中心主義が、近代の産業社会にどうやって定着していったかを理解するのは難しいことではありません。近代の産業社会はそもそも、成立したときから流動的な社会でした。最初は農民が土地を離れて都市へと流れ込み、やがてひとびとは海を渡り大陸を横断して新しい土地へと流れ込み、そしてとうとう今日では、雇用の機会を求めて都市から都市へと流れゆくようになりました。わたしたちはある意味で、流動的であらざるをえなくなっているのです。旧いきずなは解体されます。それと同時に都市の暮らしも、近代的な大都市へのとてつもない人口集中のために変容させられます。当然のことながらそこにあるのは、それまでよりはるかに非人称的なその場かぎりのつきあいであって、かつてのもっと濃密な差し向かいの人間関係はかげをひそめてしまいます。こうしたことはどれもみな、社会的アトミズムの見地がますます地歩を固めてゆくような文化を生み出すほかありません。

そのうえ、わたしたちの技術主義的で官僚主義的な社会は、道具的理性にますます重きをおくようになっています。そのためにアトミズムが強化されるのは必定です。というのも社会が道具的理性に重きをおくことで、わたしたちは他の場合と同様、自分のコミュニティに対しても道具的な視点に立つよう仕向けられるからです。それだけではありません。人間中心主義もまた醸成されます。わたしたちの人生と環境のあらゆる相に対してまで、つまり、社会の編制に対してだけでなくわたしたち自身の過去に対しても、またわたしたちをとりまく自然に対してまでも道具的な姿勢をとらせることで、人間中心主義を醸成してもゆくのです。

したがって、ほんものという〔理想の息づく〕文化における逸脱についての説明は、ひとつにはこの文化が産業－技術－官僚社会のなかで生きられているという事実と突き合わされねばなりません。実際、自己達成を一番の目的にしている人間潜在能力開発運動などのうちには、道具的理性の威力があちこちにいろいろな形ではっきり見てとれます。科学的発見にもとづいているというふれこみで、精神の統一やら心の平安を手に入れるためのノウハウが次々と提供されます。自己達成という目標ははじめから、たんなる道具的なコントロールといった目標とは正反対のものと理解されてきましたし、いまでもそう理解されているという事実にもかかわらず、他の場合と同じようにここでも、手っ取り早い解決策が夢見られているのです。自己を解放するために手っ取り早い解決のノウハウに頼る——これ以上の矛盾はないでしょう。

とはいえ、社会的背景によってすべてが語り尽くされるわけではありません。ほんものという理想の内部にも、主観主義へとすべり落ちてゆくのを助長する原因があります。実際、主観主義へのすべり坂はひとつしかなかったのではなく、二つありました。そしてその二つのすべり坂は入り組んだ関係に、しかも互いに矛盾するような関係にあったのです。

第一のものはこれまで話してきたような、現代の大衆文化に見られる自己達成の理想の自己中心的な様式へのすべり坂です。第二のすべり坂はある種のニヒリズムへと、いいかえれば、重要性の地平というものをおよそ否定する方向へと向かう「高級な」文化の動きで、一世紀半にもわたっていまなお続いているものです。その二十世紀的な形態の起源はなるほど〔ヴェルレーヌの〕「呪われた詩人」のイメージやボードレールの姿のうちにも見出されますが、この場合やはり最たる人物はニーチェでしょう——もっとも、彼は「ニヒリズム」ということばを違った意味で、むしろ彼が拒否したものを指し示すために使ったのですが。この系列に属する思考の様相はモダニズムを構成するいくつかの要素となって現れ、そして今日ポストモダンと呼びならわされるジャック・デリダや後期のミシェル・フーコーのような著作家のうちに姿を見せています。

これらの思想家たちが与えた影響は逆説的です。かれらは、わたしたちが日ごろ依拠するさまざまなカテゴリーへのニーチェ流の異議申し立てを、ほんものという理想の「脱構築」にまで、ひいては自己の概念そのものの「脱構築」にまで推し進めます。しかし実のところ、あらゆる「価値」は創造されたものだというニーチェ流の批判は、人間中心主義の称揚と定着につながらざるをえません。ニーチェ流の批判は行為者に、「自己」というカテゴリーに疑いをもつよう仕向けるにもかかわらず、結局のところ、およそ基準というものを課すことのない世界を前にした無際限の力と無際限の自由の感覚を抱かせ、かれらが「自由な戯れ」(37)に興じたり、自己の美学(38)に酔いしれたりする道を開いてゆくのです。そしてこのような「高級な」文化の理論は、ほんものという理想の息づく大衆文化に〔通俗化した形で〕浸透してゆくと――そのことはたとえば、「高級な」文化と大衆文化という二つの文化の接点に位置する学生たちのあいだに見てとれるでしょう――、今度は自己達成の自己中心的な様式に拍車をかけ、それにいっそう深遠な哲学的正当化の粉飾をほどこすようになるのです。

それでいてしかし、わたしの見るところでは、こうしたことはみなほんものという理想と同じ源泉から現れてきたのです。どういうわけでそんなことが言えるのか――

ミシェル・フーコーが晩年のインタヴューで美意識を引き合いに出していますが、そこから議論の正しい道筋が見えてきます。ただし、話のつながりをわかるようにするには、近代個人主義のうちに見出される表現という側面を考慮に入れなければなりません。

わたしたちのひとりひとりにそのひとだけの人間としてのあり方があるという考えからすれば、自分らしくあるとはどういうことか、その答はめいめいで発見しなければならないことになります。しかし仮定にしたがえば、あらかじめ存在しているモデルにあたっても自分らしいあり方を発見することはできません。自分らしいあり方を発見するには、わたしたちが自分はいったいどんな人間になれるかを発見するのは、そうした自分らしくあるとはどういうことかを新たに表現し直す以外にありません。わたしたちが自分らしいと考える生活様式にふさわしくなることによって、つまり、自分のなかにある自分だけのものをことばと行動のうちに表現することによってなのです。啓示は表現をとおしてもたらされるというこの考えこそ、近代的な個人の概念のうちに見出される「表現主義」(expressivism) について語るとき、わたしが捉えようとしているものにほかなりません。[39]

さて、以上のことからすぐにも思い当たるのは、自己発見と芸術的創造とが実に似通っていて、深く結びついてさえいることです。ヘルダーの登場によって、また人間の生の表現主義的な理解によって、自己発見と芸術的創造との関係はとても密接なものになりました。芸術的創造は、それに照らして自己を定義できるようになるお手本、つまり自己定義のための模範的な型になります。そしてそうこうするうちに芸術家が、人間というものの典型例に、つまり、その人だけにふさわしい自己の定義をしている行為者の模範になります。こうしてだいたい一八〇〇年頃から、芸術家を英雄視し、芸術家の生きざまに人間の条件の真髄を見出して、芸術家を見者、つまり文化的価値の創造者として崇拝する風潮が現れてきました。

しかし当然のことながら、こうした変化には芸術に関する新しい理解がともなっていました。芸術がもっぱら現実の模倣として、現実のミメーシスとして定義されることはもはやなくなりました。いまでは芸術は、むしろ創造という観点から理解されます。この芸術と創造という二つの観念は手を携え合っています。わたしたちが自分らしくあるようになるのは、自分が何をし何になるのかを表現することによってだとすれば、そしてわたしたちが何かになったとして、それは仮定からしてそのひとだけのものであり、あらかじめ存在する何かにもとづいているのではないのだとすれば、わたしたちが表現するものもまた、あらかじめ存在する何かの模倣ではなく、新しい創造にほかならないというわけです。つまりわたしたちは構想力を、創造力とみなしているのです。

芸術家としての自分の作品をつうじて自分を発見する。つまり自分が創造したものをつうじて自分を発見することがわたしたちの模範となったわけですが、この事例についてもう少し詳しく見てみましょう。わたしの自己発見は創造を経て行われます。いいかえれば、自己発見にはわたしだけの新しい何かをつくり出すという経験がともないます。わたしは新しい芸術の言語——絵画の新しい技法、詩の新しい韻律や形式、小説の新しい書き方——を案出します。わたしがわたしのなれるものになるのは、その新しい芸術の言語をつうじてであり、またそれをつうじてでしかありません。自己発見にはポイエーシスが、つまり制作が必要なのです。ほんものという観念はさまざまな方面で発展してきましたが、そのうちのひとつの方面で、このポイエーシスは決定的な役割を果たすことになります。

この点を見てみる前に、わたしたちがふつうに抱いている自己発見の観念と創造的な芸術家の作品とのあいだには密接な関係があることを指摘しておきたいと思います。芸術と同じように、自己発見には構想力が必要です。そのひとだけにしか送れないような人生をつくりあげたひとたちを、わたしたちは「創造的」だとみなします。また、芸術家ではないひとの人生を芸術の言語で描写することは、芸術家を自己定義に到達したお手本か何かのように考える風潮にも見合っています。

しかし、このように芸術と自己定義がぴたりと寄り合わさってゆくには、また別の一連の理由がありました。芸術にも自己定義にも創造的なポイエーシスが必要であったからというだけではないのです。芸術にも自己定義が道徳性に対置されるようになったからでもあったのです。なるほど、自己定義と道徳性とをかたく結びつけた理論もありました。たとえばルソーです。ルソーによれば、わたしが何ものにも遮られることなく「存在感」と触れ合っているときにだけ、「存在感」がわたしを完璧に道徳的な被造物にしてくれるのです。けれどもかなり早い段階から、かならずしもそうではないと考えられるようになりました。自己に対して忠実であれ、自己との触れ合いを求めよ、自己の内部に調和をもたらせといった要求は、わたしたちから他者に与えるよう期待される正しい処遇の要求とはまったく異なったものでもありえました。実際、ほんものという理想は外部から課されたルールのどれかとぶつかることにならざるをえないという観念がわたしたちの頭から離れないのは、そのひとだけの自己のあり方という観念自体のためであり、また社会への順応はほんものという理想の敵たりうるというそれとセットになった考えのためにほかなりません。もちろん、ほんものという理想は正しいルールとなら調和するだろうと考えることはできます。しかし、自己に対して忠実であれという要求と主体間の正義の要求という二種類の要求のあいだに、概念的な差異があることは否定のしようがありません。

こうした差異のあることは、ほんものという理想の要求が美意識とかたく結び合わされていることが認識されるにしたがって、ますますはっきりしてきます。わたしたちは美意識ということばに慣れっこになっていますし、ひとびとが芸術と美を愛してきた以上、美意識というのはともかくもひとつのカテゴリーとしてあり続けてきたのだと考えます。しかしそうではありません。十八世紀には芸術の理解において、模倣から創造へのモデルの転換がありました。美意識という概念は、その転換に関連して同時に起こったもうひとつの別の変化から現れたのです。

芸術がもっぱら、いわば現実の模倣として理解されている場合なら、描写された現実なり現実の描写法の観点から芸術を定義することもできるでしょう。しかし十八世紀は、主体の方へと向かうもうひとつ別の――さきに道徳感覚の哲学との関連で述べたのと同時に起こった――転換を経験します。芸術と美の特異性が現実なり現実の描き方なりといった観点から定義されることはなくなります。いまや芸術と美の特異性は、わたしたちのうちに芸術と美が呼び起こす感情の性質によって、いいかえれば、道徳やその他の快の感情とは異なる感情、芸術と美に独特の感情によって識別されるようになるのです。シャフツベリに依拠していたハチソンがこの思想の系列でもさきがけのひとりとなりましたが、世紀の終わりにはもう、イマヌエル・カントが与えた定式によってこの思想はひろく知れわたり、ほとんど正典のようになったのです。カント——彼もまたシャフツベリにならいます——によれば、美には満足感がともないますが、それはどんな欲求の充足感とも区別されますし、道徳的な卓越性から生まれる満足感とさえ区別されます。美の与える満足感は、いわば美それ自体のためにあります。美が与えるのは美に内在する固有の充足感であり、美の目的は美それ自体の内部にあるのです。

ところが、ほんものという理想もまた同じようなしかたで、つまりそれ自体が目的として理解されるようになります。さきに述べたように、ほんものという理想はわたしたちに課される道徳的要請の重心が移動するところから生まれます。自己に対する忠実さも自己の全体性もますます、道徳的であるための手段、つまり自己とは無関係に定義されるものではなく、それ自体のために価値のあるものとみなされます。自己の全体性と美意識とが結び合わされるのは時間の問題です。シラーは『美的教育に関する書簡』(40)でそうした自己の全体性と美意識との統一を表現し、はかり知れないほどの影響を与えました。シラーにとって美の享受とは、道徳と欲求のせめぎ合いがわたしたちの内部にもたらす分裂を超えて、わたしたちに統一性と全体性を与えてくれるものにほかなりません。ここで言われる全体性は、道徳の達成とはどこか違います。結局シラーは、全体性がわたしたちの存在を道徳にはできないようなしかたで全面的にとらえることから、道徳よりも全体性の方がすぐれていると言いたげです。もちろんシラーにとって、全体性と道徳とが両立可能であり、調和するものであることに変わりはありません。しかし、全体性と道徳はもう対置されるところまで来ています。というのも、美の全体性は独立した目的であって、美には美のテロスが、つまり美に固有の善さと満足の形があるからです。

こうしたことのすべてが、ほんものという理想と芸術とが深く結びつくのに貢献しました。しかもそれは、過去二世紀におけるほんものという概念の発展についてそのいくつかの道筋を、とりわけ、ほんものという理想の要請が道徳の要請に反してまで選びとられるという形ができあがっていった経緯を説明する手がかりになります。ほんものという理想は、他のひとにはない自分らしさというものを必要とし、しきたりなどにはしたがわないよう求めます。一般的な道徳それ自体が、息の詰まるようなしきたりとひとつことのようにみなされていく——そうしたことが起こりうるのは見やすい道理でしょう。ふつうに考えれば道徳は明らかに、わたしたちの内部にある本源的で本能的なものの多くを、つまり、わたしたちの奥底にある一番強い欲求の多くを抑圧することになります。かくしてほんものの自己の探求のうちに、道徳に反してまでほんものの自己を選びとろうとする動きが派生します。ニーチェは美意識の領域にある種の自己創造を探し求めたわけですが、彼はこの動きが、キリスト教の精神を吹き込まれた伝統的な博愛の倫理とはけっして両立できないと考えました。そしてそのニーチェのあとには、「ブルジョワ的な」体制の倫理に対抗して本能の底知れなさを擁護し、ひいては暴力さえも擁護するさまざまな企てが続き、ついにはニーチェをも乗り越えていったのです。二十世紀ならマリネッティと未来派芸術家、アントナン・アルトーと残酷演劇、そしてジョルジュ・バタイユといったように、影響力のあった顔ぶれは実に多岐にわたります。また暴力の崇拝は、ファシズムの起源のひとつでもありました。

このように、ほんものという理想はさまざまな方向に枝をひろげてゆくことができます。ではそれらの枝はみなひとしく正当なのでしょうか。そうは思われません。もっともわたしが言わんとしているのは、かれらのように悪を喧伝する者たちがまるっきり間違っていたということではありません。あるいはかれらは、ほんものという観念そのもののうちに緊張がはらまれていて、わたしたちをばらばらに引き裂きかねないことに気づいていたかもしれないのです。ところが、デリダやフーコーやかれらの真似をする者たちに見られるような、重要性の地平がもつ意義を否定しようとしてきた今日の通俗的「ポストモダン」の変種にあっては、理想から逸脱した形こそがよしとされます。その場合理想からの逸脱は、ほんものという理想に課される要求のなかである部分はまるごと無視され、それとは別の部分にだけ焦点が当てられるという形をとるのです。

要約すれば次のように言えるでしょう。まず、(A)ほんものという理想には(i)自己の発見だけでなく創造と構築が、また(ii)他の誰でもないわたしらしさが含まれ、そしてしばしば(iii)社会のルールへの抵抗や、場合によっては道徳と認められているものへの抵抗さえもが含まれます。しかしまた、これまでにも見たように、(B)ほんものという理想は(i)自己が重要性の地平に向けて開かれていることを求め——というのも、さもなくば創造は重要性という背景を失い、無意味になるのを避けられなくなるからです——、そして(ii)自己が対話のなかで定義されることを求めます。これら〔(A)と(B)二つ〕の要求が緊張関係に入りうることは認められねばなりません。けれども、(B)を無視して(A)を特権化したり、あるいはその逆であったりと、一方を他方に対して無条件に特権化するとすれば、それは間違いだと言わねばなりません。

今日の「脱構築」という流行りの教義につきものなのがこのような特権化です。「脱構築」の教義は（A―i）を、つまり、表現を特徴とするわたしたち人間の言語の構築し創造するという性質を強調はしても、（B―i）のことはまるっきり無視します。また、（A―iii）をもっと極端な形で、つまり、創造を善悪の彼岸にあるものとして捉えるのに、（B―ii）のことは、つまり、創造の背景にあってわたしたちを他者に結びつけている対話のことは無視するのです。

このように、「脱構築」の教義にはつじつまの合わないところがあります。その理由は「脱構築」の理論家たちが――たとえば創造的で、自己の構築に欠かせない言語の力に対するかれらの理解に見られるように――ほんものという理想の背景になっているものの見方を受け容れていることにあります。ほんものという理想の背景になっているものの見方は、人間の生に対して、「脱構築」の理論よりも超然と、科学主義的に臨む哲学には受け容れられないものです。ところが「脱構築」の理論家たちは、そういった哲学と同様そうしたものの見方の本質をなす構成要素のいくつかを無視しておいて、そうしたものの見方自体は受け容れたがるのです。

この種の理論が正しいかどうかはさておくとしても、それを支持したくなる誘惑がどれほど強いかは理解できるはずです。そのような誘惑は、（A）と（B）に識別した二つの側面のあいだの、ほんものという理想それ自体がはらむ緊張関係のうちに潜んでいます。そして、（B）に対して（A）を特権化する方向へひとたび走り出すと、別の作用が働き出します。価値は創造されたものだという理解が、自由と権力の感覚を与えます。二十世紀における暴力の魅惑とは権力との情事だったのです。しかし、たとえもっと穏当な形であっても、ネオ・ニーチェ主義の理論がラディカルな自由の感覚を生み出すことに変わりはありません。

このことは、例の自己決定的自由という観念に結びつきます。自己決定的自由の観念は、さきに述べたように、ほんものという理想と最初からかたく結びついています。そして、そのほんものという理想と自己決定的自由との関係は、親和的であると同時に相争うという複雑なものでした。

親和性があるのは一目瞭然でしょう。ほんものという理想それ自体が自由の観念なのですから。ほんものという理想にしたがえば、自分の人生の構想は自分自身で、周りに順応せよといわれても屈することなく自分で見つけ出さねばなりません。ここに親和性の基礎があるわけです。しかし、ほかならぬこのことが、ほんものという理想と自己決定的自由との相違をますます抜き差しならないものにします。なぜなら自己決定的自由の概念にあっては、それをとことんまで押し進めた場合に、自己決定的自由には限界があるということが、つまり、自己決定的な選択をするうえで尊重しなければならないものがあらかじめ存在しているということが、理解されなくなるからです。こうして自己決定的自由の概念は、もっとも極端な形の人間中心主義へとたやすく反転します。もちろん自己決定的自由には、個人を社会にかたく結びつける社会的なタイプの変種があります。ルソーが『社会契約論』で定式化し、マルクスとレーニンがかれら独自のやり方で発展させたのがそれです。しかし同時に、こうした社会的な変種はその無神論に見られるように、また、資本主義社会をも凌ぐほどであった生態系への攻撃性に見られるように、人間がすべての中心にあるという考えをかつてないほど称揚しもしたのです[41]。

結局ほんものという理想は、自己決定的自由とどこまでも歩みをともにするわけにはゆかなくなりますし、また、ともにすべきでもありません。自分を貶めることになるからです。けれども、「脱構築」のような理論を支持したくなる誘惑が残り続けることもわかります。ほんものという理想の伝統が——他のどんな理由からにせよ——人間中心主義に陥ってしまう場合には、ほんものという理想と自己決定的自由との連携は自然と好ましく思われ、ほとんど抗いがたいまでになります。それは人間中心主義が、重要性の地平を破壊し尽くすことによってわたしたちを意味喪失の危機に陥れるからであり、またその結果として、わたしたちの苦境を矮小化してゆくからにほかなりません。歴史上のある時期、わたしたちは人間のおかれている状況をきわめて悲劇的な状況として理解しました。人間は沈黙する宇宙に打ち棄てられ、固有の意味など何もないまま、価値を創造すべく運命づけられているのだ、というわけです。ところが後になると、その同じ教義が、それ自体にそなわっていた傾向にしたがって平板化した世界像を生み出します。その世界にはとりたてて意味のある選択など存在しません。重大な問題など何もないからです。こうしたことはたとえば、本書で述べてきたような「ポストモダン」の行く末に、つまり、深遠な「ポストモダン」の教義が北米の大学を席巻した際たどった運命に示されています。「ポストモダン」の教義は北米の大学を席巻したあと、もとの教義よりも平板であつかいやすいものになりました。平板になったのは、それらが結局のところ、ほんものという理想の自己中心的なイメージをさらに強めるのに一役買ったからです。あつかいやすくなったのは、差異を承認せよという要求を支持する教義として受けとられたからです。アメリカの大学ではたいてい、フーコーは左派の思想家と断定されます。フランスではかならずしもそうではありませんし、ドイツでさえそこまではゆかないのですが[42]。

意味の地平がますますうつろになってゆく平板化された世界では、自己決定的自由の理想がふりまく魅力はいっそう強力になってゆきます。ものごとの重要性は選択によって与えられるように思われてきます。たとえ他の源泉がすべて尽きてしまったとしても、自分の人生を自由の練習台にすれば、ものごとに重要性を与えられるかのように思われてくるのです。自己決定的自由は、ほんものという〔理想の息づく〕文化のお定まりの解答といった面をもっていますが、しかし同時に、人間中心主義をますます強める点では破滅のもとでもあるのです。ここからひとつの悪循環ができあがって、わたしたちの手元に残る主要な価値は選択それ自体であるという結論にわたしたちを向かわせます。ところがさきに見たように、この悪循環によってほんものという理想も、それと結びついた差異の承認の倫理も、地に堕ちてしまうことになるのです。

以上のことは、ほんものという〔理想の息づく〕文化にはらまれる緊張であり弱点です。そしてこうした緊張と弱点が、社会をアトム化してゆく圧力とあいまって、ほんものという〔理想の息づく〕文化が主観主義へとすべり落ちてゆくのを加速させるのです。

第七章　闘争は続く

わたしはこれまでほんものという〔理想の息づく〕文化の肖像を描いてきました。この文化は、このうえなく「ナルシシズム的」なものに形を変えた場合でさえも、ほんものという理想に衝き動かされていました――もっとも、正しく理解するならば、ほんものという理想がそうした「ナルシシズム的」な変種を許すことはないのですが。したがってほんものという〔理想の息づく〕文化とは、もとから緊張をはらみながら、そのことに苛まれている文化なのです。こうした見方は、この文化をもっと自己中心的な自己達成の形態と見る一般的な見方とは対照的です。一般的な見方からすれば、自己達成といっても手前勝手なエゴイズムの所産にすぎないか、理想に衝き動かされているにしてもせいぜいが、ごくありふれた振る舞いにも何か動機があるのと同程度でしかないというわけです。

では、わたしが自分の見方を変えないのはなぜでしょうか。第一の理由はそう、わたしの見方が真実だと思われるからです。このほんものという理想はいまなおわたしたちの文化のなかで作用していますし、そこにはらまれる緊張もなくなってはいないようです。けれども、もしわたしの見方が真実だとすれば、わたしたちの行為に対してどのような結果がもたらされるのでしょうか。わたしが提唱するようにしてものごとを眺めると、この文化に対する態度はがらっと変わることになります。今日ひろく見られる態度のひとつに、自己達成という目標はエゴイズムに汚染されていやしないかと疑ってかかるものがあります。これはブルームやベル、ラッシュといったこの文化に対する批判者たちに顕著な態度です。この場合はたいてい、ほんものという「理想の息づく」文化は何もかもダメということになります。他方、この文化にどっぷり「浸りきっている」ひとたちがいて、かれらにしてみればいまのままで何もかもうまくいっていることになります。ここでわたしが示す光景はそのどちらにも向かいません。そこに示されるのは、回復の仕事にとりかかるわたしたちの姿であり、実践が多かれ少なかれ理想にもとっていても、その背後にある本来はもっと高い理想を見定め、はっきりとことばで表し、そしてそうした実践自体を衝き動かしている理想の見地から、当の実践に批判を加えてゆくわたしたちの姿です。いいかえれば、この文化をまるごと切り捨てるのではなく、そっくりそのまま是認するのでもなく、この文化に与かるひとびとに、かれらの諾う倫理がほんとうならもたらすはずのものをもっとはっきりさせ、そうやってこの文化の実践に再び生命を吹き込もうと試みるべきなのです。

これは説得の仕事に乗り出すことを意味します。さきの二つの観点のいずれかに立つならば、この説得の仕事というのは可能でもなければ望ましくもないと思われるでしょう。しかし、わたしが擁護する見方からすれば、〔ほんものという理想の息づく文化と向かい合う〕適切な方法はこれしかありません。文化の領域ではどこでもかならず闘争が起こります。相異なる両立しがたい考えをもつひとびとが互いに争い、批判し、非難し合います。ほんものという〔理想の息づく〕文化に関して言えば、この文化に心酔するひとたちとこの文化を酷評するひとたちとのあいだにはつねに闘いが繰りひろげられています。さきほどからわたしが言わんとしているのは、この闘争が誤っているということです。どちらの側も間違っています。争うならほんものという理想の意味をめぐって争うべきであり、そして労力を払うなら、本書で明らかにされた観点から、自己達成というのは無条件の関係性や自己を超えたところからやってくる道徳上の要請を排除するどころか、ほんとうは何らかの形でそうした関係性や要請を必要とするものであることを、ひとびとにわかってもらうよう説得に努めるべきなのです。〔ほんものという理想をめぐる〕闘争は、ほんものという理想に対して、つまり賛成か反対かという形でなされるべきではありません。ほんものという理想について、その本来の意味を明確にする形でなされるべきなのです。わたしたちがいまなすべきは、この文化がみずからを衝き動かす理想にもっと近づくよう、この文化の底上げに努めることなのです。

もちろん、ここに述べたことはすべて三つのことを前提としています。第二章の最後のところで説明した三つの前提です。つまり、（一）ほんものという理想は真実、支持するに値する理想であり、（二）ほんものという理想が何を必要とするかは理にかなったしかたで確証することができ、しかも（三）この種の論証は実践面で変化をもたらしうるということです。これはつまり、ひとびとをしてアトミズムや道具的理性といったものに何の疑問も抱かないようにさせた近代社会のさまざまな発展の結果、ひとびとは近代社会のうちに閉じ込められてしまっており、それゆえかれらに向かって語られることにどれほど説得力があったとしても、これまでのやり方を変えられるわけがない――そんなふうには考えられないということにほかなりません。

これまでの章で、（一）はなるほどそのとおりだと思われるような議論ができていたならよいのですが。争う余地のない論証を提示できなかったとしても、どうすればこの問題領域でわたしたちを納得させうる議論が展開できるかぐらいは、それなりに示すことができたと思いたいところです。(三)については、なるほど、わたしたちが自分たちの産業技術文明にどれほどがっちり条件づけられているかは誰しもが認めねばなりません。しかし、近代社会のうちに完全に閉じ込められ、社会全体の「システム」を打ち壊すことはおろか自分たちの行動を変えることさえできない、というふうにわたしたちの姿を描き出す見方は、わたしの眼にはいつもひどくおおげさなものに映ります。このことについては次の章で話すことにしましょう。さしあたっては(一)について、つまりこのほんものという理想の真価についてもう少し話をさせてください。

もっとも、このことに関していま新たに言うべきことはそれほどありません。というのも、わたしたちがこのほんものという理想をそのもっとも豊かな源泉から理解するとき、この理想はみずからその何たるかを語るように思われるからです。ここでは、そうした源泉からの綿密な──本書で示しえたよりも綿密な[43]──説明を経てはじめて見えてくるはずのことを、単刀直入に述べてゆきましょう。

わたしの考えでは、西洋文化は過去二世紀にわたってこのほんものという理想を表現するなかで、人間の生に秘められた重要な可能性のひとつを明らかにしてきました。近代個人主義にはたとえば、自分だけの意見や信念を自分でつくりあげるよう求める面がありますが、ほんものという理想が指し示すのもまた、みずからより多くの責任を引き受ける生き方です。それはいっそう充実した、以前にもまして自分だけのものと言えるような生活を（潜在的に）可能にしてくれます。なぜならそうした生き方は、ますます他人には真似できないその人だけの生き方になるからです。たしかに、そこにはさまざまな危険があります——そのうちのいくつかはすでに探求しました。そのような危険を避けえなかったとき、わたしたちはある点では、この〈ほんものという理想の息づく〉文化が発展していなかったならそうなっていたであろう状態よりもさらに下へと堕ちてゆくことになるのかもしれません。けれども最善の形であれば、ほんものという理想はもっと豊かな存在様式を可能にしてくれるのです。

ここではしかし、さらに踏み込んで、知性よりも感性に訴える主張をしたいと思います。わたしの見るところでは、わたしたちの文化に与かるひとは誰もみな、このほんものという理想の力を感じています。わたしがこの文化を「酷評するひとたち」と呼んで区別したひとたち、つまり、自己達成や自分らしい生き方の発見にまつわる言語はどれも胡散臭いと感じ、そんなものはナンセンスか、さもなくば放縦の言い訳だと考えるひとたちにしてもそうです。ナンセンスだと考えるひとたちはえてして、世界に対して融通のきかない科学主義的な態度をとるものです。かれらは、人間は可能なかぎり科学の言語で理解されるべきだと考え、自然科学をモデルにします。それゆえかれらの眼には、自己達成やほんものという理想についての話は漠然とした、わけのわからないものに映るのです。これとは別のタイプの批判者として、アラン・ブルームのようなヒューマニストたちがいます。かれらはなるほど、そうした還元主義的で科学主義的な見解を共有してはいません。しかしどうやら、自己達成や自分らしい生き方の発見にまつわる言語を道徳が緩んできたことの現れと理解しているか、あるいはすくなくとも、かつてわたしたちの文化で支配的だったもっと厳格な理想の喪失をそのまま反映したものと理解しているようです。

それにもかかわらず、西洋社会の本流に棹さすとみなされるような人物で、かれら自身が自分の経歴や人間関係をめぐって人生の選択を迫られたときに、かれらにとって自己達成や自己開発、潜在能力の開花にあたる何か——さもなくば、このほんものという理想を表現するのに役立ってきた語彙のなかにある別の言葉で言い表される何か——を一顧だにしないようなひとはほとんど見当たりません。なるほど、かれらはそうした考慮を他の善の名のもとに拒否するかもしれませんが、それでもこのほんとものという理想の力は感じているのです。もちろん、わたしたちの社会には他の文化からやって来た移民のひとたちもいれば、伝統を頑《かたくな》に守る独立した小文化集団でいまなお暮らしているひとたちもいます。しかし実際には、西洋の自由な社会の文化の本流は、個人主義ならではのあれやこれやの流儀に心惹かれるひとたちの見地から規定できます。そしてこのことが、移民の家族の内部に解きがたく痛ましい世代間の争いを引き起こすもとになる場合が実に多いのです。というのも、移民の子供たちが否応なく順応させられてゆく移民先の文化の本流が、まさにそうした個人主義によって規定されているからです。

こうしたことがほんものという理想の真価を示す論拠にならないことは承知しています。しかしそれは、この理想に敵対するひとたちを謙虚な気持ちにさせるはずです。はたして、この理想を根絶やしにすることに意味があるのでしょうか。別の言い方をすれば、わたしたちのおかれている状況ではわたしの薦める方法の方が、つまり、この理想の最善のものを支持し、わたしたちの実践をその水準にまで引き上げようとすることの方が、意味のあることなのではないでしょうか。

ですからわたしの解釈は、これまでとはずいぶん異なる実践に基礎を与えるものです。わたしたちをさきの二つとは異なる方向へ向かわせるものなのです。それだけではありません。わたしの解釈はまた、ものごとを見るうえでこれまでとはまったく異なる視座を提供します。たしかにこの数十年で、これまで以上に自己中心的な自己達成のしかたがひろまってきているのは明らかです。警鐘が鳴らされたのはまさにそのためでした。ひとびとは他者との関係性を解消するのにますます抵抗を感じなくなってきている——そうとしか思えないほどです。離婚率の上昇も、わたしたちの社会に未婚のカップルが大勢いることを考えれば、人間関係の破綻がどんどん進むなかの氷山の一角にすぎません。自分の生まれ育ったコミュニティと浅いつながりしかもたないひとが増え、市民参加が衰退していっているように思われます。

さて、こうした事態に、今日の青年男女が何のためらいもなく絶対的に支持する一連の新しい価値が反映されていると考える——それどころか、今日の青年男女が伝統的なきずなを打ち棄てることに手放しで賛成するのはまったくのエゴイズムからなのだと考える——ならば、未来には何の希望も見出せなくなるでしょう。こうした風潮が一変すべき理由もこれといって見当たりません。このような変化の原因をわたしがさきに指摘したような社会的要因に求めるかぎり、つまり、増大した社会の流動性や、周りのひとに対してかれらを手段とするような、ひいては操作の対象とするような姿勢で行動せざるをえない仕事や社会的状況へと、わたしたちがどんどん巻き込まれていっているところに原因を求めるかぎり、絶望はますます深まってゆくでしょう。というのも、こうした風潮が続くのは必然であり、場合によってはさらに強まるのも必然のように思われるからです。またそれゆえに、ナルシシズムに塗りつぶされてゆく未来の姿しか見えてこないのです。

こうした事態のなりゆきをほんものという倫理に照らして眺めると、見通しは違ってきます。というのもその場合、そこに反映されているのは価値の転換——この事態の当事者には何の問題もない価値の転換——だけではないからです。価値の転換どころか、新しい自己中心的な実践は抜きがたい緊張に満ちた場と映ります。現実には理想が十分に満たされていないと感じるところから緊張が生まれるのです。そしてこの緊張は、実践のいたらない部分をはっきりさせ、批判してゆこうとする闘争に変わりうるものなのです。

この視座からすれば、社会はひとつの方向にだけ向かって進んだりなどしません。一方緊張と闘争があるという事実は、社会がどちらにも転びうることを意味します。一方には、ほんものという〔理想の息づく〕文化をもっとも自己中心的な形態にまで引きずり降ろしてゆくあらゆる要因——社会的・内在的要因——があります。もう一方には、本来この理想が目指しているものと求めているものとがあります。闘いが始まります。一進一退の闘いです。

これはよい報せに思われるかもしれませんし、悪い報せに思われるかもしれません。はっきり決着がつくことを望んでいるひとには悪い報せでしょう。自己中心的な生き方がひとびとを籠絡したり誘惑したりできなかった過去の時代には二度と戻れないのですから。およそどんな個人主義も自由もそうであるように、ほんものという理想もまた、責任化（responsibilization）の時代――とでも表現できそうな時代――の幕を開けます。この文化の発展という事実があるからこそ、ひとびとがみずからより多くの責任を引き受けるようになっているのです。高みへと上ってゆくだけでなく、下へ下へと堕ちてゆくこともありうるのが、こうした自由の増大の本質にほかなりません。高みに向かって着実に、後戻りしたりせずに進んでゆくことを保証するものなど、何もないのです。

高みに向かって着実に、後戻りしたりせずに進んでゆくこと――それは幾多の革命運動が夢見たことでした。たとえばマルクス主義がそうです。ひとたび資本主義が廃棄されれば、近代の自由の偉大な成果、賞賛すべき成果だけが花開き、自由の濫用もあるべき姿から逸脱した自由も消えてなくなるだろうというわけです。しかしそれは、自由な社会では起こるべくもないことです。なぜなら自由な社会とは、みずから責任を引き受けつつ率先して道徳的に行為し、すすんで道徳にしたがうという最高の形の自由と、たとえばポルノグラフィのような最悪の形の自由とを、二つながらいっぺんに与えるものだからです。ポルノグラフィは資本主義を反映したものにすぎないというかつてのマルクス主義社会の主張が空威張りだったことは、いまや否定すべくもありません。

しかしまたそれゆえに、このことはむしろよい報せという印象を与えるのです。最善のものがけっして最終的に保証されないとすれば、衰退にしても陳腐さにしても、避けられないものではないことになります。自由な社会はいつでも、より高貴な自由とより低俗な自由が闘争する場になります。自由な社会とはそういうものです。どちらの側も相手を完全に打ち負かすことはできません。しかし戦線を動かすことはできます。決着がつくような形にはできませんが、ともかくも一部のひとびとにとっては、しばらくのあいだとはいえ、どうにかこうにか戦線を動かすことはできるのです。社会的行為や政治的変化をとおして、そしてひとびとの感性をとらえ知性を納得させることによって、たとえしばしのあいだでもよりよい自由の形が優勢になりうるのです。ある意味、真に自由な社会はおのれを言い表す言葉として、次の——イタリアの赤い旅団のような革命運動ではまったく別の意味で唱えられた——スローガンを掲げてもよいでしょう。"la lotta continua"（闘争は続く）――そして事実、永遠に続くのです。

したがってわたしが提唱する視座は、ここ数十年のあいだに生まれ育った文化的ペシミズム、ブルームやベルといった類の著作が育んできた文化的ペシミズムとは、金輪際きっぱりと袂を分かっています。わたしたちの時代に比せられるのはローマ帝国の衰退ではありません。わたしたちは頽廃して快楽主義に陥ったがために、自分たちの政治文明を維持できなくなっているのではないのです。しかしだからといって、疎外や官僚政治の硬直性にさほど陥らないですむ社会もあるということにはなりません。また、なかには帝国にも似た地位を実際に失う社会もあるでしょう。合衆国はそうした好ましからざる変化のいずれをもこうむるおそれがあるという事実が、合衆国における文化的ペシミズムの威力をそれとわかるほどにまで強めてきたのかもしれません。(44)けれども、合衆国は西洋世界ではありませんし、ことによると、単一の存在とみなされるべきではないとさえ言えます。なぜなら合衆国は、大きく異なる環境と集団からなる途方もなく多様な社会だからです。もちろん、得るときもあれば失うときもあるでしょうが、全体的に見れば「闘争は続く」のです。

あえて言うまでもないことですが、わたしは文化的ペシミズムを逆さまにした見方を提唱しているわけでもありません。つまり、チャールズ・ライクの『緑色革命』

The Greening of America に見られるような、一九六〇年代に人気を博した類の文化的オプティミズムを提唱しているわけではないのです。ライクの著作は、自生的で寛大な、情愛の豊かな文化、生態系の保護に責任を負う文化の台頭を思い描いていました。こうした夢想は、現代文化に心酔するひとたちの歪んだ視座から生まれるべくして生まれたもので、現代文化を酷評するひとたちの歪んだ視座からペシミスティックな夢想が生まれてきたのと同じです。わたしはこのどちらの見方からも距離をとりたいのです。それも、二つの見方のあいだをとるというのではなく、むしろまったく違う立場に立ちたいのです。つまり、わたしたちはこの問題に関して、ただひとつの大きな時代の流れというものを——それがどんなものであれ、上向きであれ下向きであれ——探し求めるのではなく、不可逆的な流れを見分けようとする誘惑とは手を切って、目の前にあるのは闘争なのだと、その帰趨はいつもまったく予断を許さない闘争なのだということを理解しようではないかと、そう提案しているのです。

しかし、もしわたしが正しいとすれば、そして目の前にある闘争がわたしの描いたとおりのものだとすれば、現代文化を酷評するひとたちの文化的ペシミズムは間違っているだけでなく、逆効果でもあることになります。なぜなら、ほんものという〔理想の息づく〕文化は幻想でありナルシシズムなのだという全面的な非難は、わたしたちを高みへと近づけてゆく道ではないからです。ところが実情は、状況から遊離した科学主義的なものの見方をするひとたちと、かれらよりもずっと伝統的な倫理観をもったひとたちが手を結び、そしてもちろん、踏みつけにされた高級文化を擁護するひとたちの一部とも一緒になって、声をそろえてこの〔ほんものという理想の息づく〕文化を非難するというありさまです。しかし、これでは何の助けにもなりません。この文化に身を投じているひとたち――切り方によってはすべてのひとが、この文化の批判者さえもがそこに含まれるとわたしは考えます――を変えてゆくのに助けとなる方法があるとすれば、それは、この文化に生命を与えている理想について共感をもって論議することであり、その理想がほんとうに求めているものを示すようにすることです。しかし、この理想が遠まわしに非難され、現になされている実践とひとからげにして嘲笑の的にされるなら、この理想に対するひとびとの態度は硬化してしまいます。この文化の批判者たちはただの反動主義者とみなされることになり、ほんものという理想の再評価は行われなくなってしまうのです。

こうして、現代文化に心酔するひとたちと現代文化を酷評するひとたちへの二極分解が生じるわけですが、そのなかで失われるのはほかでもなく、このほんものという理想についての豊かな理解なのです。心酔する側も酷評する側もある意味では、この理想をそのもっとも低俗な、もっとも自己中心的な表現と同一視する点で共犯関係にあるのです。この理想の回復の仕事についてはこれまでの章である程度は説明してきましたが、その仕事はまさに、この共犯関係に対抗して行われねばならないのです。

第八章　より繊細な言語

　このように二極化した論争では、ほんものという理想だけでなく、近代文化の理解に欠くことのできないきわめて重要な区別までもが打ち棄てられてしまいます。ある意味では、この文化は「主観化」(subjectivation) とでも呼びうる多面的な運動を経てきました。「主観化」とはつまり、ものごとがますます主観中心に、しかも数多くの面で主観中心になってゆく運動のことです。かつてなら何か自己の外部にある現実――たとえば伝統的な法や自然――に照らしてものごとを確定していたのが、いまやわたしたちの選択に任されます。論争に際しても、かつてなら権威の下す裁定を受け容れねばならなかったのが、いまではわたしたち自身でよく考え、解決しなければなりません。近代の自由と自律は、わたしたちが自分のことを中心におくようにさせ、そしてほんものという理想は、わたしたちが自分だけのアイデンティティを発見してそれを明確に表現するよう求めるのです。

しかし、この運動には重要な点で異なる二つの側面があります。そのうち一方は行為の様式に関わり、他方は行為の中味もしくは内容に関わります。このことはほんものという理想から説明できます。ほんものという理想は、あるレベルでは明らかに、何らかの生の目的やあり方を支持する様式に関係しています。ほんものという理想はまぎれもなく自己言及的です。これがわたしの進む道でなければならない、というようにです。しかしだからといって、それとは別のレベルにある行為の内容もまた自己言及的なはずだ、わたしの欲求や抱負を超えたところにあるものに比べれば、わたしの選んだ目標の方がそうした欲求なり抱負を表現したり満たしたりしているはずだ、ということにはなりません。わたしは神のうちにも、あるいは政治的大義や地球環境保護にも自己達成を見出すことができます。実際、右の議論が示しているのは、わたしたちはそういったものにだけ、つまり、わたしたちやわたしたちの欲求には関係なく重要なものにだけ、真の自己達成を見出すのではないかということなのです。

この二種類の自己言及性を混同すれば破滅的な結果になります。前途は断たれてしまいます。ではほんものという理想の時代が始まる以前に戻るのかといえば、そういうわけにもゆきません。わたしたちの文化では、行為の様式が自己言及的になるのはいかんともしがたいことです。ところが二種類の自己言及性が混同されると、内容の自己言及性も同じく避けられないかのような幻想が生み出されます。こうした混同が、最悪の主観主義に正当性を与えるのです。

この二種類の主観化がどれほど異なったものであるか、それなのにいかに混同されやすいかについては、近代芸術の足どりがまたとない実例を示してくれます。すでに見たように、芸術はほんものという理想にとって非常に重要な領域でもありますから、この点についてはとりわけここで探求するに値します。

これからお話ししようと思う変化は十八世紀の終わりまでさかのぼるもので、ミメーシスとしての芸術理解から創造性を強調する芸術理解への転換——第六章で議論した転換——に関係しています。それはいわゆる芸術の言語に、つまり詩人や画家といったひとびとがあてにすることのできた、公的に通用する参照点に関わります。シェークスピアなら万物照応をあてにできました。たとえば、王殺しという行為に背筋が凍りつくような思いをさせるために、彼は召使いの口から、その恐ろしい所業に感応して引き起こされた「異常な」出来事を報告させます。ダンカン王が殺された夜は「悲嘆の声が天にひびき、あやしげな死の叫び」に風が荒れ狂う夜となります。朝になってもあたりは闇に覆われたままです。前の火曜日には一羽の鷹が、ネズミしか食わぬフクロウに殺され、暗殺の夜はダンカン王の馬たちが暴れだし、その「手のつけられぬ暴れようは、まるで人間相手に戦をはじめたよう」になります。同じようにして絵画も、神とこの世の歴史や出来事、偉人たちといった公的に了解される主題を長いことあてにできました。『聖母子』や『ホラティウス兄弟の誓い』のように、絵画に描かれた歴史や出来事、偉人たちが、いわばそこに盛り込まれた意味をまざまざと映し出したのです。

しかし、わたしたちはこの二世紀のあいだ、そうした参照点がわたしたちに対してもはや効力をもたない世界に生きてきました。ルネサンスの時代には万物照応の教義も受け容れられていましたが、同じように今日その教義を信じるひとは誰もいないでしょう。神とこの世のいずれの歴史にしても、誰もが認める意義などないのです。万物照応について詩を書くことができないのではありません。ボードレールは書いています。そうではなく、万物照応について詩を書くときに、かつて公認されていた教義がいまもそのまま受容されていることをあてにできなくなったのです。ボードレール自身、そうした教義を正典あつかいすることに賛成ではありませんでした。彼がつかまえようとしているのはもっと別のもの――彼の個人的な洞察であり、彼はそれを歴史に照らして三角測量しようとしているのです。彼の個人的な洞察とは、彼が自分をとりまく世界に見ている「象徴の森」にほかなりません。ところが、わたしたちがこの「森」をとらえようとするなら、かつて公認されていた（けれどもいまではどのみち詳しいことなど誰も覚えていない）教義についてではなく、こう言ってよければ、その「森」がどうやって詩人の感性に響いているのかを理解しなければならないのです。

もうひとつ別の例を挙げましょう。リルケは天使について語ります。しかし彼の語る天使は、伝統的に定められた秩序のなかで天使が占める位置から理解されるべきではありません。むしろ、リルケが事物に対する自分の感覚を明確に表現するのに用いるさまざまなイメージを隅から隅まで見わたして、この天使ということばの意味を三角測量しなければならないのです。「ああ、いかにわたしが叫んだとて、いかなる天使がはるかの高みからそれを聞こうぞ」――『ドゥイノの悲歌』はこうはじまります。リルケの叫び声の届かないところにいるということが、リルケの天使のひとつの定義なのです。わたしたちにはもう、〔九天使中第二位の〕ケルビムと〔最高位の〕セラフィムの位に関する中世の物語から天使を知ることはできません。リルケの感性の明確な表現を経なければならないのです。

こうした変化は次のように描写できるかもしれません――詩の言語は、かつてなら公的に通用する一定の意味の秩序を頼りにすることができたのに、いまでは、明確に表現された感性の言語のうちにあるものでなければならなくなったのです。アール・ワッサーマンは、それまで確固としてあった意味の背景とともに旧い秩序が衰退した結果、ロマン主義期の新しい詩の言語の発展が必然となった次第を明らかにしました。たとえばポープが『ウィンザーの森』を書いたときには、ふつうに使える詩的イメージの源泉として、自然の秩序という昔ながらの見方をあてにすることができました。しかしシェリーにはそうした源泉は使えません。詩人は自分自身の拠って立つ世界を明確に表現し、信じうるものにしなければならないのです。この点をワッサーマンが次のように説明しています。「十八世紀の終わりまでは、一定の仮定を共有するのに十分なだけの知的同質性があった。……ひとびとは程度の差こそあれ……キリスト教的な歴史解釈や自然の礼典主義、存在の大いなる連鎖、創造におけるさまざまな段階のアナロジー、小宇宙としての人間といった概念を受け容れていた。……これらは公的領域における宇宙論的統語法であった。そして詩人は、自分の芸術を「自然」の模倣と考えて何も問題はなかった。なぜなら、詩人が「自然」ということで意味していたものが、それら〔宇宙論的統語法〕のひな型だったからである」。

「十九世紀までにはこのような世界像は意識から消えていった。……模倣としての詩から創造としての詩への概念変化は、なにも批判哲学上の現象にとどまるものではない。……いまや……新たな定式化の行為が付け加わり、詩人に義務づけられる。……近代詩はそれ自体の内部で独自の宇宙論的統語法を定式化し、同時に、その宇宙論的統語法が可能にする自律的な詩的現実を形づくらなければならない。かつては詩に先立って存在し、詩が模倣する対象でありえた「自然」は、いまや詩人の創造性という共通の起源を詩と分かち合うようになったのである」[45]。

ロマン主義の詩人たちとその後継者たちは、宇宙についての独創的な洞察を明確に表現しなければなりません。ワーズワスとヘルダーリンが『序曲』や『ライン河』のなかで、あるいは『帰郷』のなかでわたしたちをとりまく自然世界を描写したとき、かれらはもはや、確立された参照領域をくまなく利用するという——ポープが『ウィンザーの森』を書いたときにはまだできた——ことをしていません。かれらは、自然のなかにはまだふさわしいことばの見つかっていないものがあることに気づかせます[46]。詩がわたしたちのためにことばを見つけ出しているのです。この「より繊細な言語」(subtler language)——この術語はシェリーから借りています——によって、まだふさわしいことばの見つかっていない何かが顕在化させられると同時に定義され、そして創造されます。文学史におけるひとつの分水嶺が、こうして越えられたのでした。絵画にもこれと同じようなことが、十九世紀のはじめに起こりました。たとえばカスパル・ダフィト・フリードリヒは、伝統的な図像学から遠ざかってゆきます。彼は自然のうちに象徴的な意味を求めましたが、それは当時一般に受容されていた伝統的手法にもとづくものではありませんでした。彼が目指したのは、「自然の姿にじかに語らせること、つまり、自然の姿を芸術作品のなかにうまく配置して、自然の力が解き放たれるようにすること」でした。[47] フリードリヒもまた、より繊細な言語を探し求めているのです。彼が表現しようとしているのは、いまだふさわしい表現のしかたが存在していないもの、あらかじめ存在する参照目録にではなく、彼の作品のうちにこそその意味が探し求められるべきものなのです。[48] 彼はなるほど、わたしたちの感情と自然の景観との親和性という十八世紀後期の観念を下敷きにしていますが、しかしそれは、主観の側の反応よりも多くのものを明確に表現しようとしてのことです。「感情が自然に反することはありえない、感情は自然とつねに一致する」のです。[49]

ここには芸術の言語における質的な変化が示されています。つまり、断片化だけが問題なのではないということです。かつての詩人にはひろく認知された言語があったけれども、いまでは誰もが自分独自の言語をもつようになったのだ——そう述べるだけでは、この質的な変化を説明したことにはならないでしょう。それではまるで、わたしたちのあいだで同意できさえすれば、その昔に存在の連鎖が享受していたのと同じ公的言語という地位を、たとえば秩序についてのリルケの洞察にも与えられるかのように聞こえます。

しかし、変化はそれよりもはるかに遠くまで及んでいます。公的な了解が甦ることはけっしてありません。かつてなら天使は人間とは無関係な存在の秩序の一部であり、そのため、人間がどう表現したところでそれは天使の本性とは無関係なのであって、またそれゆえ、天使に近づくことができるのは、明確に表現された感性の言語などとは縁もゆかりもない記述の言語――つまりは神学であり哲学――である、という公的な了解がありました。これとは対照的に、リルケの「秩序」は、新しい読者ひとりひとりの感性のなかでそのつど新たに是認されることによってしか、わたしたちのものにはなりえません。このようなわけですから、リルケの「秩序」のようなあるひとつの秩序がその他すべての秩序を排除して採用されるべきだとする考え――伝統的な文脈では実際に避けがたい要求――そのものが、何の力ももたなくなります。言うまでもなく明らかなことですが、感性が違えば、またイメージの織りなす文脈が違えば、どう見ても同じような現実と映るものに対してさえ、まったく異なる解釈が与えられることになるのです。

したがって、現代の「天使」は人間に関係づけられていなければなりません。言語に関係づけられていなければならない、と言ってもいいでしょう。いずれにせよ昔の天使にはなかったことです。現代の「天使」は、一定の明確な表現の言語と切り離すことができません。それがあたかも天使の主要な構成要素のようになっているのです。そしてこの言語もまた、詩人個人の感性に根をおろしているものであり、そして、詩人と同じように共鳴する感性の持ち主にだけ理解されるものなのです。

こうした相違が一番くっきり見えるのは、公的な参照領域を踏査するのにどれくらい個人の直観にも頼れるかを考える場合かもしれません。言語学は、文法的な正しさというわたしたちの言語的直観を利用することがあります。そうした直観を利用できるためには、ふつう再帰的な見方が必要とされます。わたしは自分に向かって「"She don't got a cent" なんて言い方ができるだろうか」と問い、「できない」と答えます。しかしこの場合は、「個人的な洞察」を云々する必要はありません。わたしが踏査しているのはまさに、公的に通用する〔意味の〕背景の一部であり、意思疎通しているあいだ誰もが頼りにし、また重視しているものにほかなりません。これとは対照的に、エリオットやパウンドやプルーストがわたしを誘ってゆく場所には、個人的な次元が抜きがたくそなわっています。

さきの議論の言い回しでゆけば、これはポスト・ロマン主義の芸術に重大な主観化が起こったことを意味します。しかし、その主観化は明らかに様式の主観化であり、詩人がわたしたちに指し示すものに――それがどんなものであれ――詩人自身がどうやって近づいたのかということに関わるものです。そこからはけっして、内容の主観化もなければならない、つまり、ポスト・ロマン主義の詩とはある意味、ひたすら自己を表現するだけのものにちがいない、ということにはなりません。なるほど、これはよくある見方ですし、詩は「強烈な感情の内発的な流出」であるというワーズワスが述べた有名な文句のおかげで、それなりに信じられてもいるようです。しかしワーズワス自身は、「ティンターン修道院上流数マイルの地で」のなかで次のように書いたとき、彼自身の感情を明確に表現する以上のことをしようとしていました。

> 目には見えない力があり、高められた思いが
> 喜びとなってわたしの心をかき乱した。それは
> はるかに深く浸透した何ものかに対する崇高な感覚で、
> それが存在するのは落日の光のなかであり、

円い太陽であり、新鮮な大気であり、
青空であり、人の心のなかであった。
それは湧き起こる衝動であり、精神であり、
思考する主体と、思考の対象すべてを促し、
万物のなかを駆けめぐる。

（九四節―一〇二節）

近代の最高峰に位置する詩人たちの何人かが成し遂げようとしたのは、まさに自己を超えた何ものかを明確に表現することにほかならなかったのです。『新詩集』におけるリルケを、そして彼の「豹」のような詩を思い起こすだけでよいでしょう。そのなかで彼は、いわば事物をそれ自体の内側から明確に表現しようと努めたのでした。内容と様式の混同はたやすく生じます。それは近代詩が、古典的な意味での「客観的」秩序の探求、つまり、誰にでも手の届く参照領域という意味での「客観的」秩序の探求ではありえないからです。しかも内容と様式の混同は、注釈者だけのせいではありません。古典的な秩序が衰退したために、自己と自己の力以外に祝福すべきものがなくなったというのは見やすい道理です。主観主義へのすべり坂にしても、そのために起こるほんものという理想と自己決定的自由との混合にしても、行く手を遮るも

のとてありません。近代芸術の多くは、まさに人間の力と感情の祝福を主題にしています。その典型として思い浮かぶのは、またもや未来主義者です。

しかし、二十世紀のひときわ偉大な著作家のなかには、こうした意味で主観主義的ではなかったひとたちがいます。かれらが問題にしたのは自己ではなく、自己を超えた何ものかでした。リルケやエリオット、パウンド、ジョイス、マンといった著作家たちがとりわけそうです。かれらのような例は、詩の言語が個人の感性に根ざすほかないとしても、だからといって詩人が自己を超えた秩序を探求しなくなるわけではないことを示しています。たとえばリルケは『ドゥイノの悲歌』で、わたしたちの境遇について、つまり、死せる者に対する生ける者の関係について、人間のはかなさについて、そして言語のうちにある変容の力について何ごとかを語ろうとしています。

それゆえ近代芸術を理解しようとするなら、二種類の主観化が区別されなければなりません。そしてこの区別は、さきに言及した現在進行中の文化の闘争と密接に関連します。というのも、現代の重要な争点のなかには、愛に関する問題や、自然の秩序のなかで人間が占める位置に関する問題のように、そうやって個人の心に共鳴を引き起こす言語でもって探求されなければならない争点があるからです。際立った例を挙げるなら、わたしたちはこの宇宙を、わたしたちの目論見に供される原料の供給源でしかないと考えることができます。しかしわたしたちは、その宇宙にわたしたち自身もはめ込まれているとみなさずにすんでいます。それは、わたしたちがもはや存在の大いなる連鎖という教義を信じていないからにほかなりません。けれども、わたしたち自身をもっと大きな秩序の、つまり、わたしたちに異議申し立てをすることのできるもっと大きな秩序の一部だとみなす必要がなくなったわけではないかもしれないのです。

実際、その必要性は差し迫ったものだと考えてよいでしょう。自然環境や野生の大地がわたしたちに訴えかけているという感覚を取り戻すことができるなら、深刻な生態系の破壊をなんとか押し止めるのに大きな助けとなります。しかし、道具的理性と自己中心的な自己達成のイデオロギーによって現代の趨勢となった主観主義的な先入観のために、こうした言い分をことばで説明するのはほとんど不可能になっています。アルバート・ボーグマンの指摘では、生態系に対する自制や責任を求める論拠の多くが人間中心主義の言語で述べられています。(50) 生態系に対して自制するのは、そうすることが人類の幸福のために必要だからだというわけです。人類の幸福のためというのはなるほどそのとおりでしょうし、たしかに大事なことではありますが、しかしそれで片づく話ではありません。また、自然とこの世界が声をあげ異議申し立てをしているという感覚にたびたび気づかせてくれるわたしたちの直観が、人類の幸福のためということのうちに表現し尽くされているわけでもありません。

しかし、個人の心に共鳴を引き起こす言語から得られる助けがなければ、そうした直観を探求することは事実上不可能です。個人の心に共鳴を引き起こす言語が主観主義的ではない仕方で使われうるということを認識しそこなう――二種類の主観化を混同する――と、道徳的に重大な帰結がもたらされうるのはそのためです。遊離した理性（disengaged reason）や主観的な自己達成を擁護するひとたちならそうした帰結は喜んで迎え入れるのかもしれません。かれらにしてみれば、自己を超えたところに探求すべきものなど何もないのですから。近代を全面的に批判するひとたちは、旧き公的秩序を慕い求め、個人の心に共鳴を引き起こす洞察をただの主観主義といっしょくたにしてしまいます。厳格なモラリストのなかにも、こうした個人的なるものの不透明な領域は封じ込めてしまいたいと考えるひとたちがいます。しかもかれらには、およそ個人的なるものが表立って表現されることまで――それが主観主義者によるものかわたしたちの直観の探求のためであるかを問わず――遮ろうとする傾向があります。ほんものという倫理についての低俗で陳腐化された見方を支える点で知らず知らずのうちに共犯関係に入るというおなじみの連携が、ここにも認められるのです。

しかしかれらは、自己を超えてゆくこの種の探求を遮ることで、平板化され陳腐化された近代文化のあり方に抗する絶えざる闘争のための主要な武器のひとつを、わたしたちの手から奪い取ってもいるのです。自己を超えたところからやってくる要求——たとえば、人間中心主義には終わらないような生態系保護のやり方の基礎にある要求——をもっとわかりやすく、もっと現実的なものにできるはずのこうした探求を、かれらは封じ込めてしまうのです。わたしたちの近代文化に秘められた最高の可能性を現実のものにしてゆく実際の戦い、その終わりなき戦いに身を投じようというとき、現代文化に心酔するひとたちとそれを酷評するひとたちとに二極分解した論争の視座や、文化的なオプティミズムとペシミズムとに二極分解した論争の視座がいかに有害なものでありうるか、ここにも見てとることができるでしょう。

ほんものであるとは自分自身に忠実であることであり、自分の「存在感」を取り戻すことだとすれば、わたしたちがほんものという理想を完全な形で成就できるのは、その存在感という感情がわたしたちをもっと広大な全体に結びつけるということを理解するときだけかもしれません。ロマン主義の時代に自己感情と自然に帰属しているという感情とが結び合わされたのは、おそらく偶然ではなかったのでしょう。(51) 公的に定められた秩序をとおして帰属するという感覚の喪失は、もっと強烈でもっと内面的な結合の感覚によって埋め合わされる必要があるのかもしれません。それこそは数々の近代詩が、明確に表現しようとしてきたことなのかもしれません。そして今日、わたしたちにはそうやって表現されてきたこと以上に、さらに何かが必要なわけではないのかもしれないのです。

第九章　鉄の檻？

第一章であらましを述べた近代〔に特有〕の三つの不安のうち、第一の不安については詳しく論じてきましたが、他の二つの不安と取り組むのにはあまり時間を割いてきませんでした。ただわたしとしては、自己達成の個人主義に関する長い議論から、他の不安の領域にも同じように拡張できそうな近代に対する一般的な姿勢の輪郭が切り出されてくれれば、という考えでした。この章では、そうした近代に対する一般的な姿勢が、脅威となりつつある道具的理性の支配に対してどのような意味をもつのか、手短に述べてみたいと思います。

ほんものという理想に関してわたしがずっと提唱してきたのは、現代文化に対して心酔するか酷評するかという二つの単純かつ極端な立場はいずれも避けられるべきだということでした。いいかえれば、自己達成の倫理を全否定するのも、現代の自己達成のあり方を全部まるごと是認するのも、同じく根本的に誤っているということです。また、基礎にある倫理的な理想と、それがひとびとの生のなかに映し出されるしかたとのあいだには緊張があるのであって、それゆえ理路整然とした文化的ペシミズムも、どんぶり勘定の文化的オプティミズムと同じく心得違いをしていると論じてきました。わたしたちが直面しているのはむしろ、ほんものという理想を実現するにもより高次の、より十全な様式で——より平板で浅薄な形のほんものという理想の抵抗に屈することなく——実現しようとする闘争なのです。

同じようなことが、第二の主要な関心領域である道具的理性にも当てはまります。この場合にも極端な立場が見られます。〔一方には〕技術文明の到来をいわば衰退以外の何ものでもないとみなすひとたちがいます。かつて人間は地球と触れ合い、地球のリズムと交感していたけれども、わたしたちはそうした触れ合いも交感も失ってしまった。わたしたちは自分自身との触れ合いも、わたしたち自身の自然な本性との触れ合いも失い、ひたすら支配の命法にしたがって、つまり、内なる自然とも外なる自然とも絶えず闘うことを余儀なくさせる支配の命法にしたがって生きるようになったのだ、というわけです。世界の「脱魔術化」に対するこうした不平不満は、ロマン主義の時代以来、くり返し明確に表現されてきました。そこには、人間が近代の理性によって三重に——人間自身の内部で、人間どうしのあいだで、そして自然界から——引き裂かれてしまったというロマン主義の鋭敏な感覚がありました[52]。そしてその感覚はいまもなお、わたしたちの文化のなかにさまざまな形で生き続けています。たとえば、工業化されていない社会に生きるひとびとの暮らしに対する賞賛のなかにそうした感覚が顔をのぞかせますし、先住民の社会を産業文明の蚕食から守ろうとする政治的な立場にもたびたび見受けられます。それはまた、フェミニズム運動のなかのある系列の主要なテーマにもなっていて、自然を支配しようとする姿勢は「男性」のものであり、「家父長制」社会の本質をなす特徴のひとつにほかならないという主張と結びつけられています。

このような見地に立つひとたちは、テクノロジーを讃美してやまないひとたちと真っ向から対立します。テクノロジー万歳のひとたちは、人間の抱えている問題をすべて解決できる手段があると考えていて、反啓蒙主義的な不合理と思われる状態から脱け出し発展してゆくのを邪魔だてするひとたちには我慢がならないのです。

この場合も、同じように二極分解した論争がすぐ目にとまります。ただし重要な違いがあります。両陣営の顔ぶれが同じではないのです。大ざっぱに言えば、ほんものという理想を酷評するひとたちはたいていが右派で、テクノロジーを痛罵するひとたちは左派なのです。もっと実情にそくした言いかたをするなら、自己達成の倫理を批判するひとたちの（すべてではないけれども）一部がテクノロジーの発展を強力に支持するのに対して、ほんものという〔理想の息づく〕現代文化に深くのめり込んでいるひとたちの多くは、家父長制や先住民の生活スタイルに対するいましがた見たような考え方を共有しているのです。このように両陣営の顔ぶれが交錯すると、厄介な矛盾が生じることにもなります。右派のアメリカ流保守は、中絶の権利やポルノグラフィを攻撃するときには伝統的なコミュニティを擁護する立場から発言しますが、経済政策となると、何の規制も受けない資本主義の企業経営形態を擁護するのです。何よりもそうした企業経営形態こそが、歴史的なコミュニティの解体を後押しし、けじめやら忠誠心などとはおよそ無縁なアトミズムを助長してきたのであり、貸借対照表のちょっとした変動ですぐにでもひとつの炭鉱街を閉鎖したり、森林環境をさんざんに破壊したりしているにもかかわらずです。他方、自然に対して思いやりのある姿勢、敬虔な気持ちで接する姿勢を支持するひとたちがいます。彼らは森林環境を守ろうと手を尽くす一方で、女性の身体は当の女性だけに帰属するという理由から、中絶する権利を求めてデモを行うことでしょう。野蛮な資本主義に反対するひとたちの方が、野蛮な資本主義を何の迷いもなく擁護するひとたちよりも所有的個人主義を徹底することがあるのです。

このように二つの二極分解した論争には大きな違いがあるのですが、それにもかかわらず、わたしはどちらも事実上、ひとしく間違っていると考えます。暴走する道具的理性がわたしたちに強いる犠牲は、アトミズム的なものの見方が強くなってゆくのを見ても、自然に対するわたしたちの鈍感さを見ても、手にとるように明らかです。その点ではテクノロジーを痛罵するひとたちが正しいでしょう。とはいえ、技術社会の発展を支配の命法という観点だけから見るわけにはゆきません。支配の命法よりももっと豊かな道徳の源泉が技術社会の発展の糧となってきたのです。しかし、ほんものという理想の場合と同じように、アトミズムや道具主義（instrumentalism）の価値基準が勢いを得てゆくというまさにそのことによって、そうした道徳の源泉は見失われがちになります。その源泉を回復することができれば、わたしたちの生のなかでテクノロジーが別の位置を占めるような、つまり、強迫的でよくわからないままでしたがっている命法というのとは別の位置を占めるような、バランスのとれた状態を取り戻せるかもしれません。

さらにまた、ほんものという理想の追求に際してより高貴なやり方とより低俗なやり方とのあいだに闘争があったように、テクノロジーを行使するに際してもよりよい様式とより悪い様式との闘争がありえます。しかし、道徳の源泉が覆い隠され見失われているために、闘争は抑え込まれてしまい、たいていは始まる気配さえありません。そしてこのような閉塞状況には、テクノロジーを痛罵するひとたちも一役買っているのです。というのも、かれらが支配という見地から技術社会を辛辣に描くとき、そこではこうした他の道徳の源泉がはじめからあらかた排除されているからです。

しかし、テクノロジーを讃美するひとたちも助けにはなりません。なぜなら、アトミズムと道具主義の立場を頭から信じ込んでしまうことになりがちなために、かれらもまた、そのようにもっと豊かな道徳の源泉があることを認められないからです。ほんものという理想の場合と同じく二極分解した論争のどちらの側も、本質的なことがらから目をそらし、争いの種になっている当のもの――この場合なら道具的理性――に関するもっとも低俗な見解を真に受けている点で、知らず知らずに共犯関係に入っています。かれらに対抗して、わたしたちの文化と社会のなかで実りある闘争が行われるようにするには、ほんものという理想の回復という仕事をしなければならないのです。

この回復という仕事にとりかかる前に避けて通れない論点があります。道具的理性の支配については、道徳観の影響力の問題として片づけるわけにはゆかない部分がかなりあります。本書の冒頭で言及したように、多くの点でわたしたち自身、自分の生のなかで道具的理性に大きな位置を与えざるをえない気がしているというのも事実なのです。たとえば、経済が市場の影響力によって大きく左右される社会では、経済活動をする者は誰もみな、生き残ろうとするなら効率性を重視しなければなりません。また、巨大で複雑な技術社会では、その社会をつくりあげている規模の大きな構成単位——企業、公共機関、利益集団——におけるのと同じように、一般的な業務をまがりなりにも管理しようとするなら、ある程度までは官僚的な合理性の原則にしたがって管理しなければなりません。社会を市場のような「神の見えざる手」のメカニズムに委ねるにせよ、あるいは集団で管理しようとするにせよ、わたしたちはある程度まで、近代の合理性が要求するところにしたがって——それがわたしたち自身の道徳観に合致していようといまいと——動かざるをえないわけです。他にとりうる道があるとすれば、それはある種の内面への亡命であり、自分を社会の周縁に追いやることであるほかはないように思われます。道具的な合理性はいまだけでなくこの先もずっと、公的領域でも私的領域でも、経済においても国家においても、近代に関する二人の偉大な分析家マルクスとウェーバーが解明したように相補的な形で、望みどおりにわたしたちを動かすことができると思われるのです。

さて、こうしたことはたしかに真実であり、きわめて重要です。それは現代においてなぜアトミズム的で道具主義的な態度や哲学が力をもっているのかを説明する手がかりになります。とりわけアトミズムは、手段としての効率性にしたがう科学主義的なものの見方から生み出される傾向があります。そうしたものの見方は、企業家に見られるタイプの合理的行為にも内在しています。またアトミズム的で道具主義的な態度は、規範同然の地位を手に入れており、抗いえない社会的現実に裏打ちされているように見えます。

ところが、ここからさらに話が進んで、わたしたちが生きているような社会の一員になった場合、アトミズム的で道具主義的なものの見方をするのは避けられないことだと主張されます。もしそうだとすれば、これまでわたしが述べてきたことは大部分、無駄であったことになるでしょう。というのも、わたしはこれまで道具主義的な考慮のはたらく領域を制限する理由を探求してきて、またこれからも探求しようとしているわけですし、しかもその場合、わたしたちにはそうした力のあることが前提になっているからです。たとえわたしたちがおうおうにして自分たちに開かれている選択肢に気づかないとしても、この道具主義的な考慮を制限するという点では、わたしたちには真の選択の自由があることを前提にしているのです。近代の技術社会がわたしたちを「鉄の檻」に閉じ込めているというのがほんとうにそのとおりだとしたら、こうしたことはどれも戯言でしかありません。これが、わたしの議論全体に対する主要な異議申し立ての第三のものであり、第二章の終わりであらましを述べておきましたが、まだきちんとは取り組んでこなかった問題です。

この「鉄の檻」というイメージには多くの真実が含まれていると思います。近代社会にはわたしたちをアトミズムと道具主義に向けて追い立てる傾向があります。一定の状況下ではアトミズムと道具主義の威力をなかなか制限できないようにすると同時に、アトミズムと道具主義をあたりまえのように基準とみなすものの見方を生み出すことによって、わたしたちをアトミズムと道具主義の方へ追いやるのです。しかしわたしは、技術社会をいわば鉄のごとき非情な宿命とみなす考え方は妥当とは言えないと思っています。そうした考え方は本質的なことがらをあまりにも単純化し、ないがしろにしています。そもそも、技術文明とそうしたアトミズムや道具主義のような規範との関係は一方向性のものではありません。制度が哲学を育てるだけではないのです。その制度が発展できるようになるにはそれ以前に、そうしたアトミズムと道具主義を規範とする見方もまた、ヨーロッパ社会のなかで一定の影響力をもちはじめている必要がありました。アトミズム的で道具主義的なものの見方は産業革命以前に、すくなくとも西ヨーロッパとアメリカの教養ある階級にはひろまり始めていました。そしてウェーバーはまさに、近代資本主義をイデオロギー的に準備したこの事態の重大性を見抜いていたのです。

こうしたことはしかし、歴史的には興味深いがただそれだけのことだと片づけられてしまいかねません。なるほど、わたしたちの技術社会が勃興するには哲学上の変化がなければならなかったのかもしれないが、いったん技術社会が成立すればどのみちわたしたちを拘束することになるのだ、というわけです。これはウェーバーが鉄の檻というイメージで語ろうとしたこととの解釈としてもっともらしくはあるでしょう。とはいえこの解釈もまた、あまりにも単純すぎると思われます。人間も人間の社会も、単一の理論で説明できるようなものではありません。はるかに複雑なものです。わたしたちがアトミズムと道具主義の方へ追い立てられているというのはそのとおりでしょう。わたしたちの世界ではアトミズムと道具主義の哲学の方が幸先のよいスタートをきっているというのもそのとおりでしょう。しかし、抵抗の拠点が少なからずあるということ、しかも抵抗の拠点は絶えず生み出されているということも、やはり事実なのです。ロマン主義の時代から続く運動の全体を、つまり、アトミズムと道具主義のカテゴリーによる支配に異議を唱え続けてきた運動の全体を、そしてそこから派生した今日の運動を、つまり、生態系への誤った対処のしかたに異議を唱え続けている今日の運動を思い起こすだけで十分でしょう。この運動がまだ緒についたばかりで、まだ未熟なものであるとしても、わたしたちの実践のなかでそれなりの前進を遂げ、それなりの効果をあげてきたことは、技術社会における鉄のごとき非情な法則の存在を部分的にせよ反駁するものにほかなりません。

この運動がたどった近年の歴史は、わたしたちがおかれている境遇の限界と可能性とについて多くのことを教えてくれます。道具的理性の支配へと追い立てられてゆくのは逃れられない宿命のように思われ、断片化された公衆、利害関心のばらばらな公衆は、事実そうした宿命と思われるものに翻弄されています。なるほど公衆のなかの個々の小さな断片であっても、発展という大義名分のもとに破壊と劣化の危険にさらされている環境のごく一部にならなら深い関心を寄せるかもしれません。しかしその場合は、個々の地域コミュニティや関係市民団体が、少数者の利益という大義名分を楯にして公衆の大多数に敵対し、発展を犠牲にするよう、したがって公衆ひとりあたりの国民総生産を犠牲にするように要求している、というふうに見られます。このように定式化されてしまうと、事態はどうにもならないものに映ります。政治的には見込みがないうえに、やり遂げるだけの価値があるとさえ思えなくなります。民主政治のひき臼にかかれば、小さな抵抗の島々がひき潰され粉々になってしまうのは避けようがない、というわけです。

しかし、環境に対する脅威を核にしてひとたび共通理解の土壌が創り出されれば、状況は変わります。もちろん、地域集団と一般公衆の軋轢は残り続けます。ごみ処理場が必要なのは誰でもわかりますが、すぐ近くにあってもいいとは誰も思いません。それでもやはり、地域の闘いのなかには新しい目で見られるようになるものが出てきます。それまでとは違う形で表現されるようになるのです。たとえば、自然が残されている地域の保存や絶滅が危ぶまれる動植物の保護、環境に大きな被害をもたらす侵襲の防止は、新しく共有される目的の一部とみなされるようになります。だいたい不可抗力のメカニズムというのは、ひとびとが分裂し断片化されているときにしか作動しないものです。問題意識が共有されるようになったとき、わたしたちのおかれている境遇には変化がもたらされるのです。

わたしたちがどれくらい自由なのか、過大評価してはならないでしょう。しかし、自由がまったくないわけではありません。そしてそのことが意味するのは、わたしたちの文明のなかの道徳の源泉を理解するようになると——それが新しい共通理解に寄与できるかぎりにおいてではあるけれども——変化が起こりうるということなのです。

わたしたちは実際、閉じ込められてなどいません。あるのは〔鉄の檻ではなく〕すべり坂なのです。ものごとのうちに、あまりにも簡単にすべり落ちていってしまう傾向があるのです。そうした傾向は、さきに言及した制度的な要因から生じますが、しかし観念それ自体の性向からも生じてきます。これと同じようなことをほんものという理想のところで見ました。第六章で示そうとしたのは、道徳上の理想それ自体が、歪曲されたり都合よく無視されたりしやすい一面をもっていることでした。

同じことが道具的な合理性の場合にも当てはまりますし、〔なぜ歪曲されたり都合よく無視されたりしやすいのかという〕理由に関して〔ほんものという理想の場合と〕一部重複している部分にも当てはまります。わたしたちの文化のなかで自己決定的な自由の理想がその強さを引き出してくる源泉については説明しました。自分自身の存在の条件をつくり直すことができるとき、つまり、わたしたちを支配する事物をわたしたちが支配できるとき、わたしたちは自由なのだ——ということでした。すぐにもわかるように、この理想は世界を技術的にコントロールすることがひときわ大きな重要性を帯びるのに一役買います。自己決定的自由の理想は、道具的理性が支配の企てに組み込まれるのを後押しはしても、支配とは別の目的の名で道具的理性を制限するのにはそれほど役に立ちません。実際、テクノロジーによるとめどない環境破壊に対してなおも存在していた歯止めのいくつかが無効になってしまった一因は、マルクス＝レーニン主義の社会がたどった近年の歴史が示すように、自己決定的自由の理想にあるのです。マルクス＝レーニン主義の社会は、イデオロギー的には自己決定的自由の理想にのっとって動いていたのですから。

道具的理性はまた、状況から遊離した人間主体のモデルと一緒になって力を増してきました。このモデルはわたしたちの想像力をがっちりととらえて離しません。このモデルが表しているのは人間の思考の理想的なイメージです。つまり一点の曇りもない、その真実性がおのずと証されるような合理性に達するために、身体の構造や対話的な状況、さまざまな情動、そして伝統的な生活形態に埋め込まれて混乱した状態から、離脱して思考するというわけです。これはわたしたちの文化のなかでもっとも威信の高い理性のあり方のひとつで、数学的な思考やその他のタイプの形式計算がその典型です。わたしたちの社会では、この種の計算にもとづいていると言うことのできる論証や考察、勧告がひときわ説得力をもちます。この種の推論が実際には内容にそぐわない場合でさえそうなのです。社会科学や政策研究においてこのタイプの思考がとてつもなく――わたしからすれば不当にも――突出しているのがいい証拠です。経済学者は複雑きわまりない数学で国会議員や官僚たちを眩惑します。大きな損害をもたらす可能性のある杜撰な政策判断を糊塗する手助けになっている場合でさえ、かれらはそうするのです。

状況から遊離した理性というこうした様式の初期の代弁者としてもっとも有名だったのはデカルトです。彼は、その後ひろく踏襲されることになる決定的な一歩を踏み出したのでした。わたしたちはこの推論の様式について、ある一定の目的のためであれば、それをわがものにしようとするのはやってみるに値することだと考えてはいないでしょうか。いいかえれば、生まれついてのわたしたちの思考はなるほど、状況に埋め込まれているし対話的だし、情動のせいで雲散霧消してしまうし、自分の文化の慣習を反映しているのが常だけれども、一時的にならそうした推論の様式はどうにか手に入るものだと、そう考えてはいないでしょうか。しかしデカルトがその一歩を踏み出したときに想定していたのは、わたしたちの本来の姿が状況から遊離した理性であるということでした。つまり、わたしたちは純粋な精神であり、身体とは別個のものであって、わたしたちがふだん自分のことを理解するしかたは嘆かわしいほど混乱している、ということだったのです。なぜこうしたイメージがデカルトの心を動かし、デカルトに追随したひとたちの気に入ったのかは理解できなくもありません。この理想は、なるほど達成目標ではあるけれども、わがものにしたところで長続きはせず、一定の局面でしか通用しないものだと想定される場合に比べ、わたしたちはほんとうはこうであると示しているものなのだと想定される場合の方が、影響力と威信とを獲得するようです。実際わたしたちの文化では、自分の本来の姿を状況から遊離した理性だとみなすことは朝飯前です。このことから、なぜこうもたくさんのひとびとが、人間の思考はデジタル計算機モデルで理解すべきだなどと聞かされても何も問題はないと考えるのか説明がつきます。状況から遊離して道具的にものごとを把握するときにともなう力の感覚が、そうした自己イメージを高めているのです。

どうやら運命の女神は――制度的にもイデオロギー的にも――アトミズムと道具主義に微笑んでいるようです。しかし、もしわたしの議論が正しいとすれば、わたしたちは運命の女神に立ち向かうこともできます。そうすることが可能になるのは、ひとつには、近代になって道具的理性が強調されるもとになった道徳の背景を、もっと豊かな道徳の背景を回復することによってです。その議論をここで展開するのはわたしの手に余ります。ほんものという理想に関して行った程度の大まかさでも無理でしょう。とはいえ、その議論を展開したとしたらどんなふうに進むのか、簡単にでも示しておきたいと思います。

事態は道具的理性に有利に動いていますが、ひとつは明らかに、道具的理性によってわたしたちが環境をコントロールできるようになるからです。支配というものはわたしたちを惹きつけます。欲しいものをもっとたくさん手に入れられるからという理由もあれば、力を手にしているという感覚をくすぐるから、あるいは自己決定的自由の企てにぴったり合うからという理由もあるでしょう。しかし、一部の批判者が言わんとするようなのとは違って、この場合「自然の支配」と言えば片づく話ではありません。それとは別に、ここで言及しておきたい道徳上の重要な文脈が二つあります。

道具的理性が強調されるもとになった文脈です。

（一）すでに見たように、道具的理性が強調されるようになったことと、人間は潜在的に状況から遊離した理性なのだというわたしたち自身の感覚とは結びついています。このことの基礎には道徳的理想が、つまり、自分で責任をもって自制的に推論してゆくという道徳的理想があります。ここには合理性の理想があって、それは同時に自由の理想であり、また自律的な、他の何ものにもよらず展開してゆく思考という理想でもあるのです。

（二）もうひとつ別系統の道徳が姿を現します。いわゆる「普通の生活」の肯定です。生産と再生産の生活こそが、つまり、仕事に生き家族と暮らすことこそがわたしたちにとって大切なのだというこの感覚も、きわめて重要な貢献をしました。というのも、この感覚によってわたしたちは、つねにもっと豊かな暮らしを求めて必要なものを生産し、次から次へとあらゆる苦しみを取り除くことに対して、かつてない重要性を与えるようになったからです。すでに十七世紀の初期にはフランシス・ベーコンが、伝統的なアリストテレス主義の諸科学は「人間の条件を和らげる」のに何も寄与するところがなかったと批判しています。[53] ベーコンはそうした伝統諸科学に代えて、手段としての効力が真理の基準となる科学のモデルを提唱しました。事物を変化させるべく介入することができたとき、ひとは何かを発見したことになるというわけです。この点で近代科学は、ベーコンとのまぎれもない連続性のうちにあります。しかしベーコンに関して重要なのは、この新しい科学の背後にある狙いが認識論に関わるだけでなく、道徳に関わるものでもあったことに気づかせてくれる点です。

わたしたちはベーコンの思想を受け継いでいます。なぜなら今日、たとえば飢饉の救済のために、あるいは洪水の被災者を助けるために、大規模な国際キャンペーンが展開されるからです。わたしたちは今日、普遍的な連帯を――実践上はまだまだ欠陥だらけですがともかく理論上は――受け容れるようになりました。しかも、自然への積極的な干渉主義を前提にして受け容れているのです。ひとびとがいつ何時ハリケーンや飢饉の犠牲者になるともわからないままでいるのを、わたしたちがよしとすることはないでしょう。わたしたちはハリケーンや飢饉を、原則として根絶できる悪、あるいは防止できる悪とみなしているのです。

こうした実践的で普遍的な博愛の精神もまた、道具的理性にきわめて重要な地位を与えます。道具的理性がわたしたちの生のなかで占めるに至った地位に対して美意識やライフスタイルを理由に反発するひとたち――十八世紀以後何十年にもわたった抗議の大部分がこの形だったのですが――は、道具的理性を擁護するひとたちからはたいてい、山ほどいる被災者の生命をつなぐのに必要とされるものよりも自分の美的感性を優先するとは、いったい道徳的な感覚があるのか、なんと想像力が貧困なのだと非難されることになります。

したがって道具的理性は、それ独自の豊かな道徳の背景をともなってわたしたちのもとにやってくるのです。道具的理性はけっして、過度に発達した支配のリビドーに動かされているだけなのではありません。それなのに、道具的理性がコントロールの増大という目的に、つまり、テクノロジーによる支配という目的に役立っていると見える場合があまりにも多いのです。もっと豊かな道徳の背景を回復するならば、道具的理性がテクノロジーによる支配に役立つ必要はなく、それどころか、テクノロジーによる支配に役立つことで多くの場合――より自己中心的な自己達成の様式がほんものという理想を裏切ることになるのと同じようにして――その豊かな道徳の背景を裏切ることになっているのが示されるでしょう。

この回復の仕事に必要となるだろうことは、ほんものという理想の場合と本質的に同じです。わたしたちは二種類の考慮をひとつに結び合わせなければなりません。（a）件の理想の実現を左右するはずの人間の生の条件に依拠することで、（b）その理想を実際に実現するといったいどういうことになるのかを確定できるのです。

医療の分野から次のような重要な例をひとつ挙げましょう。これを見れば、この種の反省には何が必要なのかがわかります。まず（a）にしたがってわたしたちが注目するのは、状況から遊離した理性という理想はまさにひとつの理想として理解されなければならないのであって、人間が行っていることの本当の姿をそのまま映し出したものと理解されてはならない点です。わたしたちは状況に埋め込まれた行為者であって、対話的な状況のなかで生き、人間だけに見られるしかたで時間のうちに住まう者にほかなりません。いいかえれば、わたしたちは自分の人生の意味を、歩み来たった過去と未来の企てとを結びつける物語として了解しているのです。このことが意味するのは、（b）人間を人間として処遇すべきならばわたしたちは、こうした人間本来の姿を、つまり状況に埋め込まれていて、対話的で、時間的な人間本来の姿を尊重しなければならないということです。とどまるところを知らない道具的理性の拡大は、患者が一個の人格であることを考慮に入れない医療として、また、治療が患者の〔人生という〕物語とどう関係しているのかに注意を払わない医療、それゆえ何が患者に希望をもたらし、何が患者を絶望に追いやるかに思いをめぐらさない医療、治療者と患者のあいだのなくてはならない信頼関係を顧みない医療として立ち現れてきます。このような道具的理性の拡大はどれも阻止されなければなりません。道具的理性の適用自体は博愛の精神によって正当化されているわけですが、まさにその博愛の精神に内在している道徳の背景の名において、こうした道具的理性の拡大が阻止されねばならないのです[54]。そもそもなぜテクノロジーが重要なのかをわたしたちが理解するようになれば、テクノロジーはケアの倫理によっておのずと制限され、枠をはめられるでしょう。

わたしたちがいま探し求めているのは、これまでのにとって代わりうるテクノロジーの枠づけ方です。自然に対するコントロールを絶えず高めてゆく企てといった文脈のなかで、いいかえれば、人間を寄せつけない自然のフロンティアの絶え間ない後退といった文脈のなかでだけテクノロジーを考えること——おそらくは力の感覚と自由の感覚に鼓舞されてのことでしょう——をやめて、実践的な博愛の倫理という道徳の枠のなかでもテクノロジーを理解するようにしなければなりません。わたしたちの文化には道具的理性をことのほか重要なものにした源泉がいくつかありますが、実践的な博愛の倫理もまた、そうした源泉のひとつだからです。しかし今度は、この博愛の精神を、客体化された機械〔としての自然〕のなかに住まう遊離した理性という幽霊、身体を置き去りにしてしまったこの幽霊と関係づけるのではなく、人間が行っていることを適切に理解する枠組のなかに位置づけなければなりません。テクノロジーをこの状況から遊離した理性という理想そのものとも関係づける必要はあるのですが、しかしその場合の状況から遊離した理性とは、人間の本質を歪曲してできた人間像であるよりはむしろ、ひとつの理想なのです。現実の人間、生身の人間の方を向いた博愛の倫理に服するテクノロジー。〔人間以外のものとは〕まったく異なる種類の思考をとおして生きる存在が到達したたぐいまれな賞賛すべき成果としての技術的・計画的な思考。——こうした枠組の内部から道具的理性を行使するならば、わたしたちは従来とずいぶん違った形でテクノロジーを用いることになるでしょう(55)。

これまでに述べたところからして、自然を支配するという姿勢への性向なりすべり坂はどうしてもなくなりません。しかしだからといって、わたしたちがいまのような形でテクノロジーを用いなければならないということにはなりません。別のやり方もあるのです。わたしたちの目の前にひろがっているのは、テクノロジーに枠をはめるさまざまなやり方が相争っている闘争の光景です。ほんものという理想の場合は、より平板な自己達成の様式とより充実したそれとのあいだの抗争でした。今度は異なる枠組どうしが争い合うというわけです。再度わたしはこう提案します——わたしたちのおかれている境遇はテクノロジーによるコントロールを絶えず高めてゆこうとする衝動を生み出す運命にあるのだ、それを喜ぶか嘆くかはものの見方ひとつなのだ、などと考えるのはやめて、テクノロジーによるコントロールを論争に開かれたものとして、終わることのないであろう闘争の場として理解しようではないか、と。

　このような論戦では、わたしたちの道徳の源泉を理解することが重きをなさなければなりません。したがってこの場合にも、テクノロジーを讃美するひとたちと痛罵するひとたちとに二極分解した論争は、きわめて重要な道徳の源泉をわたしたちから奪い取ってしまうおそれがあります。またそうであればこそ、回復という仕事はやってみる価値があるのです。感性と知性のすべてを傾けた戦い——回復という仕事には、その戦いのなかで果たすべき役割があるのです。

　とはいえ、こうした観念の戦いが、社会を組織する方法をめぐる政治的闘争と——

一部は起源において、また一部は結果において——解きがたいほど密接に結びついているのも事実です。アトミズム的で道具主義的な姿勢を生み出し支えるうえで、わたしたちの社会の諸制度が重要性をもつのだとすれば、そうならないわけにはゆかないのです。それゆえ最終章では、本書の冒頭であらましを述べた第三の主要な関心領域に向かいたいと思います。

第十章　断片化に抗して

前章で議論したのは、技術社会の諸制度は絶えず強力になってゆく道具的理性のヘゲモニーをわたしたちに否応なく押しつけるわけではない、ということでした。とはいえ、何の制限もない状態では、技術社会の諸制度にわたしたちを道具的理性のヘゲモニーへと追いやる傾向があるのは明らかです。そしてそうであればこそ、そのような諸制度からまるごとひとっとびに〔別の諸制度へ〕脱け出そうとする企てが提唱されてきたのでした。そうした夢想のひとつが、古典的なマルクス主義によって提唱され、レーニン主義によってある程度まで現実となりました。そこで目指されたのは、市場を廃棄し、経済のあらゆる動きを——マルクスの言い方でいけば——「一体となった生産者」(56)の意識的なコントロールのもとにおくことでした。また、官僚制国家なしでもやっていけるのではないかという希望を抱いたひとびともいました。

いまでは、こうした希望が幻想であったことは明白です。共産主義社会の崩壊で結局、多くのひとたちがずっと感じていたことが否定しがたくなりました。産業社会にとっては、まずまちがいなく経済効率のために、またおそらくは自由のためにも、何らかの形の市場メカニズムがなくてはならないのだ、というわけです。西側にはこうした教訓がようやく学ばれたと喜ぶ向きもあります。かれらは冷戦の終結にかこつけて、自分たちの思い描くユートピア――非人格的な市場の利害関係によって何もかもが律せられる自由な社会プラス社会のやらない残りの限られた役割に制限された国家――をほめたたえます。しかし、これもまた非現実的です。政府が経済からそこまで大幅に手を引いてしまえば、市場の安定を保てるはずもなく、したがって市場の効率性も保てるわけがありません。また自由にしても、奔馬のような資本主義がつくりだす競争のジャングルのなかを、しかも不平等と搾取が野放しになっているなかを、どれだけ生きながらえられるか疑わしいかぎりです。

一般意思にしたがった計画という原理であれ自由市場にもとづく配分という原理であれ、近代社会がたった一個の原理で管理運営できるという信念もまた、共産主義とともに滅び去るべきでした。わたしたちにとっての難題は、市場をつうじての配分、国家による計画立案、困窮時のための共同の受け皿、個人の権利保護、実効性のある民主的なイニシアティヴに民主的なコントロールといった、自由で豊かな社会にはどれひとつ欠けていてはならないのに、しかし互いにゆくてを阻みあうことになりがちな複数の社会運営の方法を、自家撞着に陥らないしかたで現実にどうやって結合するかということです。市場の「効率性」の最大化は、なるほど短期的には、他の四つの方式それぞれによって制約されることもあるでしょう。しかし長期的には、それら四つの方式が脇に追いやられることで自由と正義は確実に損なわれますし、場合によっては経済的なパフォーマンスにまで悪影響が出るでしょう。

市場を廃棄することはできません。しかし市場だけでは、社会としてのまとまりをつくりだすことはできません。市場を制約すれば高くつくかもしれませんが、何も制約しなければいずれ破滅です。現代社会を統治するということは、ともすればつぶし合いになるさまざまな要求のあいだで絶えずバランスをとり直すことであり、それまでの均衡が破れたときにはつねに、新しい均衡が創出されるような解決策を見出すことなのです。当然、最終的な解決などというものはありえません。この点、わたしたちの政治の状況はさきに描いた現代文化の状態とよく似ています。近代の鍵となる理想をめぐって相異なるものの見方、相異なる枠組のあいだに絶え間ない文化的闘争があるのにも似て、制度のレベルでは、わたしたちが共同生活を組織する際の相異なる方法、しかし相補的でもあるさまざまな方法から、いくつもの相反する要請が出されます。福祉国家をつうじて困窮時の共同の受け皿をつくることで、市場の効率性が低下するかもしれません。実効性のある国家の計画立案が個人の権利を危うくする場合もあるでしょう。国家と市場が一体となって活動するならば、それは民主的なコントロールにとって脅威だと言えるでしょう。

しかし、政治と文化は似ているだけではありません。さきに指摘したように、政治と文化は結びついています。市場と官僚制国家のはたらきには、世界と他者とに対するアトミズム的で道具主義的な姿勢に好都合な枠組を強化する傾向があります。市場や官僚制国家といった諸制度が完全に廃棄されることはありえず、わたしたちはいつまでもそうした諸制度とともに生きてゆかねばならないということは、わたしたちの文化的闘争には終わりがなく、最終的な解決の道もないことと深く関係しているのです。

決定的な勝利というものはありませんが、前進か後退ならあります。ここからどういうことになるかは、前の章で言及した事例から明らかになるでしょう。わたしはこう指摘しました――生態系の荒廃を押し止めようと地域コミュニティや市民団体がばらばらに戦っているけれども、環境保護について社会全体で何らかの共通理解や共通の目的意識が形成されないかぎり、それは負け戦になるほかはない、と。いいかえれば、急速にひろがる道具的理性のヘゲモニーを押し返すことのできる力があるとすれば、それは〔適切な形の〕民主的なイニシアティヴだということです。

しかし、このことからひとつの問題が提起されます。というのも、市場と官僚制国家が一体となって活動する場合、民主的なイニシアティヴを弱体化させる傾向が現れるからです。ここでわたしたちは、〔近代に特有の〕不安の第三の領域に立ち戻ることになります。つまり、近代社会の諸条件のなかには民主的なコントロールへの意思を掘り崩すものがあるという、トクヴィルが明確に表現した〔近代に特有の〕危惧、いいかえれば、ひとびとが「巨大な後見的権力」に統治されるのをいともやすやすと受け容れるようになることへの危惧です。

トクヴィルが描き出す穏やかな専制の姿は、彼自身としては伝統的な暴政から区別しているつもりなのですが、それにもかかわらず、伝統的な意味における専制とあまり変わらないように見えるかもしれません。現代の民主的な社会にはそんなところは微塵もないように思われます。なぜなら、現代の民主的な社会はどこを見わたしても、抗議の声と自由な発議と、そして権威への不遜な挑戦とに満ち満ちているからであり、また実際にも、支配者が絶えず行う世論調査で被治者の怒りと軽蔑が明らかになると、政府はその結果を前にして震えおののくものだからです。

しかし、もう少し違ったふうに理解するなら、トクヴィルの危惧は至極現実的なものと映ります。危険なのは実際に専制において行われるコントロールではなく、断片化(fragmentation)――共通の目的を形成してそれを実行する能力がひとびとからどんどん失われてゆくこと――なのです。断片化が起こるのは、ひとびとが自分のことをますますアトミズムの視点から考えるようになるとき、いいかえれば、共同の企てや忠誠心の面で仲間の市民に義務を負っているとは考えなくなってゆくときです。なるほど、共同の企てを介して他者とつながっていると感じはするかもしれませんが、それも社会全体というよりはむしろ、特定の小集団とのつながりになっていっています。たとえば地域コミュニティやエスニック・マイノリティがそうですし、何かの宗教の信者やイデオロギーの信奉者、ロビー団体の後援者などがそうです。

このような断片化は、共感のきずなが弱まることで起こる面もあれば、民主的なイニシアティヴ自体の失敗で自壊的に起こる面もあります。というのも、デモクラシーのもとでは有権者というものは、いま述べた意味で断片化されればされるほど、かれらの政治的なエネルギーを――以下に述べていくようなしかたで――自分たちが属する特定の小集団の利益をはかるのに振り向けてゆくからであり、またそうなってゆけばゆくほど、民主的な多数派を共通理解の得られたプログラムや政策に結集できる可能性がますます低くなってゆくからです。すると有権者全体のあいだに、巨大国家リヴァイアサンの前では手も足も出ないのだという感覚が強まってゆきます。なるほど、うまく組織されたまとまりのある特定の小集団なら何かしら効果をあげることができるかもしれません。しかし、多数のひとびとが集まって共同の企てを立案し実現するという考えは、空想的で世間知らずなものに思われてくるのです。こうしてひとびとは諦めます。共同で何かをした経験がないために、ただでさえ衰えていた他者への共感はさらに弱まってゆきます。共同で何かをすることに望みがないと感じられれば、そんなことはしようとするだけ時間の無駄だと思われるようになります。ところが、時間の無駄だと思われるようになれば当然、共同で何かをしようとしても望みはなくなってしまいます。――こうして、悪循環ができあがるのです。

さて、このような経過をたどる社会であっても、ある意味ではすぐれて民主的な、つまり平等主義的な社会でありえますし、活力に溢れ権威への挑戦に満ち満ちた社会でありえます。この点はわが国〔カナダ〕の南に位置する大共和国を見れば一目瞭然でしょう。そこではさきに指摘したように、政治は違った性格を帯び始めます。共通の目的が次々に廃れていっても、ゆるぎなく共有され続ける目的がひとつあります。それは諸権利を守るために社会を組織するという目的です。法の支配と諸権利の擁護がずばり「アメリカ式のやり方」だと、つまり、誰もが強い忠誠心をささげる対象だとみなされます。ウォーターゲート事件への異例の反発は、ついには大統領を失脚させるにまで至りましたが、これなどはそのあたりの事情をよく示しています。

こうしたことと軌を一にして、政治的な生の二つの側面が他を圧して際立つようになります。まず第一に、政治的な生はますます裁判での争いが中心になります。確定された権利章典を最初に手にしたのはアメリカ人でした。アメリカの権利章典にはその後、差別禁止の条項〔平等保護条項〕が追加されます。そうやって確定された〔修正〕条項に違反する疑いのある立法措置や私人間の取り決めに対しては、裁判による異議申し立てが行われるわけですが、それによってアメリカ社会には大きな変化がもたらされてきました。有名な「ブラウン対教育委員会」事件がいい例で、その結果、一九五四年には学校での人種差別が廃止されました。近年、アメリカの政治過程ではますます多くのエネルギーが、こうした司法審査の過程に振り向けられるようになっています。他の国でなら――相異なる意見のあいだでの論争を経て、またときには妥協を経て――立法によって決着がはかられるようなことがらでも、憲法に照らして司法判断を下すのがふさわしい問題とみなされるのです。人工妊娠中絶がその典型でしょう。一九七三年の「ロウ対ウェイド」〔事件の判決〕によって国内の中絶〔禁止〕法が大幅にリベラルなものとなって以来、保守派は逆の判決を引き出そうと、息のかかった裁判官をそろえることに血道をあげてきました。いまやその努力が実を結びつつあります。驚くほどの知的努力が司法審査としての政治に注ぎ込まれ、その結果、ロー・スクールがアメリカの大学における社会思想ならびに政治思想の一大中枢となったのでした。また、それまでなら上院は、大統領が指名した連邦最高裁判所判事をけっこう型どおりに――少なくとも党派性をもち込まずに――承認していたのに、いまや上院の承認問題をめぐって一連の大がかりな争いが引き起こされるようにまでなったのです。

アメリカでは司法審査と並んで、また司法審査に織り込まれる形で、特定の利益や主義主張のための政治にエネルギーが注ぎ込まれています。ひとびとが熱心になるのは争点がひとつしかないタイプの運動で、自分の気に入った主義主張のためとあれば猛烈に働くのです。中絶論争における賛成・反対両派の動きがいい例でしょう。政治的な生のこうした側面は、そこでの争いが一部司法と関係する点ではさきの第一の側面と重なります。しかしまた、この側面にはロビー活動や世論の動員が含まれますし、お目当ての候補者や気に入らない候補者の選挙戦をとくに選んで介入するといったことも含まれます。

およそこういったことはさまざまな活動を盛んにしますから、それが続くような社会はまず専制ではありません。しかし、政治的な生のこの二つの側面が際立つようになることは——一面ではその結果として、また一面ではその原因として——第三の側面が廃れてゆくことと関係しています。第三の側面とはつまり、有意義なプログラムを核にして民主的な多数派を形成することで、そのプログラムを成就する道が開かれるという側面です。この点に関しては、アメリカ政治の現状は実にひどいものです。名だたる候補者どうしの討論はすれ違いに終わるばかりで、言っていることも露骨なまでに自分の利益になることばかりです。有権者とのコミュニケーションはいまや周知の「サウンドバイト」〔というキャッチ・コピーまがいの発言〕一色になりつつあります。公約は〔一九八八年の大統領選挙でブッシュが掲げた公約のように〕滑稽なまでに信じがたく（「わたしの言うことをよく聞いてもらいたい〔——新税はありません〕」）、皮肉なまでに守られません。おまけに対立候補への攻撃は——見たところおとがめなしですんではいますが——恥ずべき水準にまで落ちています。同時に、こうした動きと相補的な形で、国政選挙に有権者が足を運ぶことは少なくなり、最近では他の民主的な社会の場合よりもはるかに低く、有権者人口の五〇パーセントにまで落ちこんでいます。

このように均衡を欠いたシステムについては、なるほど肯定的な意見もないわけではありませんが、やはり否定的な意見の方が多くなるはずです。まず、こうしたシステムの長期的な安定性が心配されるでしょう。つまり、代表制システムの機能がどんどん低下することで起こる市民の疎外は、特定の利害をめぐる政治にますます多大なエネルギーを注ぎ込むことで埋め合わせられるのだろうか、という心配です。また、こうした政治のスタイルは問題の解決をなおさら難しくするとも言われてきました。司法判断ではふつう、勝者がすべてを手に入れます。勝つか負けるかなのです。とくに諸権利に関する司法判断は、オール・オア・ナッシングの問題と考えられがちです。そもそも権利の概念からして、権利というからには余すところなく満たされねばならず、さもなくば無にひとしいかのようです。ここでもまた人工妊娠中絶の問題が例として役立つでしょう。この問題を胎児の権利と母親の権利の対立とみなしてしまえば、胎児は無条件の安全性を求め、母親は無制限の自由を求め、まず折り合いのつけようがありません。裁判でかたをつけようとする傾向は、特定の利害をめぐって競合する運動によってますます拍車をかけられ、そのために妥協の可能性はみるみる小さくなってゆきます。それはまた、犠牲や困難をもともなうと考えられる施策をめぐってひろく民主的なコンセンサスが必要とされるような場合に、その問題と取り組むのをいっそう困難にするものだとも言えます。あるいはこういったことは、下降線をたどる経済情勢を何か気のきいた産業政策でしのぐという、長年来アメリカが抱えている問題の一部なのかもしれません。[58]しかしここでも、肝心なのは次の点です。つまり、この手の政治が支配的なところでは、ある種の共同の企てを立ち上げるのはますます難しくなるということです。

このように均衡を欠いたシステムは、断片化が進んでいることを表すと同時に、断片化を動かしがたいものにします。このシステムの精神は、利害対立の当事者の精神であって、それによれば市民であることの効用は、全体にどんな結果をもたらすかなどお構いなしに自分の権利を手に入れられる点にあります。司法による救済も、ただひとつの争点をめぐる政治も、こうした立場から動かされ、またそうした立場をさらに強化してゆきます。最近エコロジー運動がたどった運命から明らかなように、市場と官僚制に組み込まれた「アトミズムと道具主義へ向かってゆく」流れを相殺するには、民主的な共通目的を形成する以外にありません。しかしそれこそが、断片化されたデモクラシーのシステムでは困難なことなのです。

断片化された社会というのは、その社会のメンバーたちにとって自分たちの政治社会にコミュニティとしての一体感を抱くのが日増しに困難になっている社会です。こうした帰属意識の不足は、ひとびとが社会をただの道具としかみなさなくなるアトミズム的なものの見方を反映したものかもしれません。しかしそれだけでなく、帰属意識の不足はまたアトミズムを動かしがたいものにします。なぜなら、実際に効果のある共同の活動が存在しないところでは、ひとびとには自分以外に頼るものがなくなってしまうからです。さきに（第二章で）言及したような中立の手続的自由主義は、アトミズム的なものの見方と何の抵抗もなく結びつくものですが、その手続的自由主義が現代のアメリカでもっともひろく支持される社会哲学になっているのは、たぶんこうしたことが原因になっているのでしょう。

しかしいまや、断片化は別のしかたでもアトミズムを後押しすることがわかります。というのも、市場と官僚制国家に組み込まれた流れ、アトミズムと道具主義へ向かってゆく流れを実際に押し止めるには、民主的な活動をつうじて実際に効果のある共通の目的を形成する以外にないわけですから、断片化は事実上、そうした流れに抵抗する能力を失わせることになるのです。政治的な力をもった多数派を打ち立てる能力を失うことは、河の真ん中で櫂を失うようなものです。あとはなすすべもなく下流へ流されてゆくほかありません。それはつまり、アトミズムと道具主義によって枠をはめられた文化のなかへと、さらにさらにはまり込んでゆくことを意味します。

　抵抗の政治とは、民主的な意思形成の政治にほかなりません。技術文明に反対するひとびとはエリート主義の立場に魅せられている感がありますが、かれらが言うのとは逆に、現代の文化的闘争に身を投じようと真剣に考えるならば、民主的な意思形成のための権能を与える政治の拡大発展が求められることを理解しなければなりません。テクノロジーに新たな枠組を与える政治的な企てには、断片化に抵抗し断片化〔の流れ〕をひっくり返すことが何としても必要なのです。

　しかし、いったいどうやって断片化と闘うのでしょうか。簡単なことではありません。まして万能の処方箋など存在しません。断片化とどうやって闘うかは個別具体的な状況に大きく左右されます。けれども断片化は進み、ひとびとがもはや自分たちの政治社会に一体感を抱かなくなるまでに、つまり、集団的な帰属意識がどこか別のところへ振り替えられるか完全に萎えてしまうかするまでになっています。また、政治的な無力感を味わうことからも断片化に拍車がかかります。しかも断片化と政治的な無力感は、相互に作用して力を強め合います。政治的アイデンティティが希薄になってゆくことで、〔ひとびとを共通の目的へと〕効果的に結集することがますます困難になり、何も変えられはしないという思いが疎外を生み出してゆくのです。ここに悪循環が潜んでいるわけですが、しかし、どうすればそれがよき循環にもなりうるのかはわかっています。共同の活動がうまくゆけば、民主的な意思形成のための権能が与えられているのだという意識をもたらし、政治的コミュニティとの一体感を強めることもできるのです。

これではまるで、成功の秘訣は成功することだと言っているように聞こえます。救いのない話かもしれませんが、これが真実なのです。とはいえ、もう少し先がありります。無力感が生み出される大きな原因のひとつは、わたしたちが巨大で中央集権的な官僚制国家によって統治されていることにあります。したがって無力感を小さくする助けとなりうるのが、トクヴィルの思い描いたような権力の脱中心化（decentralization）です。それゆえ一般に、連邦制――とりわけ〔中央の組織は地方の組織が効率的に果たせない機能だけを遂行する〕補完原則にもとづいた連邦制――におけるような権限委譲や権力の分割が、民主的な意思形成のための権能を与えるのに有効な方策となりうるでしょう。そしてこのことは、〔州や地方自治体といった〕権力の委譲先の単位がすでにコミュニティとしてそのメンバーの生活のうちに立ち現れているところには、なおさら当てはまることなのです。

この点、カナダは幸運でした。わたしたちには連邦制があります。しかもそれは、わたしたちがこれほどにまで多様であるおかげで、合衆国にならってさらに強力な中央集権化へと突き進むような道をたどらずにすみました。おまけに州の単位は、メンバーが一体感を抱く地域社会におおむね一致しています。逆にわたしたちが失敗してきたと思われるのは、それら地域社会をひとつにまとめあげられるような共通理解を創り出すことです。そのためわたしたちのゆくてには、別の形で権力を失うおそれが出てきました。それは、大きな政府にどう働きかけても反応する気配すらなく見えるときに思い知るような形での権力喪失ではなく、大国の圧倒的な影響力のもとに生きる小さな社会の運命です。

結局、わたしたちはカナダの多様性についてその真の性質を理解し、受け容れるのに失敗したということです。なるほど、カナダ人は自分たちの差異のイメージをとてもうまい具合に受け容れてきましたが、しかし悲劇的にも、それらのイメージが現実の姿と一致することはついになかったのです。このような失敗が訪れたのは、権利憲章を核とした司法審査という形で、アメリカ型社会の重要な特徴がこの国に根をおろし始めたまさにそのときでした。これはおそらく偶然ではありません。事実、こう言って差し支えないでしょう――カナダのシティズンシップのひとつの象徴となった憲章を何が何でも一律に適用しようとしたことが、〔ケベックの独自性を承認した〕ミーチレイク〔憲法改正〕合意〔案〕の失効の大きな原因であり、したがってまた、この国がいまにも解体しそうな状態になってしまった大きな原因である、と。[59]

しかし、こうしたことからわたしが引き出したい一般的な論点は、近代をめぐるさまざまな関心の糸をどのようにして編み合わせるかということです。テクノロジーに対して効果のある新たな枠組を与えるには、さらに強力なアトミズムと道具主義に向かってゆく流れを、市場と官僚制国家が生み出すその流れをひっくり返すような共同の政治活動が必要です。そしてそのように共同で活動するには、断片化と無力感とを克服することが必要になります。いいかえれば、わたしたちはトクヴィルがはじめて明確に述べた懸念と、つまり、デモクラシーのうちに潜む後見的権力へのすべり坂の問題と取り組まねばならないのです。同時に、アトミズム的で道具主義的な姿勢は、より劣悪でより浅薄なほんものという理想の様式を生み出す最たる要因であり、それゆえにまた、活力に満ちた民主的な生、〔テクノロジーに〕新たな枠組を与える企てへと乗り出す民主的な生は、この点でもプラスの影響を与えることでしょう。

わたしたちのおかれている状況は複合的な闘争を、つまり知のレベルで、精神のレベルで、そして政治のレベルでというように、いくつもの水準で繰りひろげられる闘争を命じているように思われます。このような闘争では、公的なアリーナにおける論争は病院や学校――そこではテクノロジーに枠組を与えるという問題が、具体的な形で生きられています――といった数々の制度環境のなかで行われる論争と連動しています。またこの闘争では、そうした論議から今度は、テクノロジーの位置づけとほんものという理想の要求するものとを理論のことばで明確にしようとするさまざまな試みが、さらにはそれを越えて、人間の生の姿とそのコスモスとの関係をも理論のことばで明確にしようとするさまざまな試みが生まれ、そしてそうした試みからさらに次の議論が生み出されてゆくのです。

とはいえ、このような多面的な論争に効果的なしかたで乗り出すには、近代文化のなかにある浅薄なものや危険なものばかりでなく、偉大なものをも理解しなければなりません。パスカルが人間について語ったのと同じように、近代を特徴づけるのはその悲惨さであると同時に、その偉大さでもあるのです。近代の悲惨さと偉大さとをともに抱きとめる見方――それだけが、この時代の最大の難局を切り抜けるのになくてはならない、この時代への歪みのない洞察をもたらすことができるのです。

訳者あとがき

本書は Charles Taylor, *The Ethics of Authenticity* (Cambridge, Mass.: Harvard University Press, 1992) の全訳である。原著書は、一九九一年にカナダでCBCのラジオ番組 *Ideas* の一部として放送された"The Massey Lectures: "*The Malaise of Modernity*"" にもとづいている。同講義の内容は当初、加筆修正をほどこしたうえで *The Malaise of Modernity* (1991) としてカナダで出版され、翌年、*The Ethics of Authenticity* としてアメリカで再版された。訳者の確認したかぎりでは、再版にあたって内容にはいっさい変更は加えられていない。なお本書のタイトルにもこうした事情を反映させ、『〈ほんもの〉という倫理――近代とその不安』とした次第である。

著者のテイラーは、「現代のエドモンド・バーク」とも評されるように、哲学者にして政治の実践に深くコミットしてきた人物である。テイラーの哲学・思想を知るに

は、まずは本書をお読みいただくのが何よりと思われる。さらに深く知りたい方には、
藤原保信『政治哲学の復権――新しい規範理論を求めて』(新評論、一九八八年)
『自由主義の再検討』(岩波新書、一九九三年)
が最良の導き手となってくれるはずである。また参考として、以下の拙稿をあげさせていただく。

田中智彦「テイラー――自己解釈的な主体と自由な社会の条件」、藤原保信・飯島昇藏編『西洋政治思想史Ⅱ』(新評論、一九九五年)、四六三―四七八頁。
「チャールズ・テイラーの人間観――道徳現象学の観点から」、『早稲田政治公法研究』第四六号(一九九四年)、一〇九―一三八頁。
「両義性の政治学――チャールズ・テイラーの政治思想」上・下、『早稲田政治公法研究』第五三号(一九九六年)、一九三―二二三頁、第五五号(一九九七年)、二一三―二四四頁。

ここでは、あまり知られていないテイラーの政治的実践について略歴とともに記しておく。

テイラーは一九三一年、カナダのケベック州モントリオールで、イギリス系カナダ人の父とフランス系カナダ人の母との間に生まれた。マギール大学で歴史学を修めた

後、ローズ奨学生として渡英し、オックスフォード大学オール・ソウルズ・カレッジで哲学を学ぶ。「ケベックのツァー」と呼ばれた州首相デュプレシの政治が続く故郷を離れ、英国に降り立った“Catholic Marxist”の若者は、やがて労働党にも共産党にも属さない「独立系左派」として活動を始める。そして五六年のハンガリー事件とスエズ動乱を機に、スチュアート・ホールらと *Universities and Left Review* を創刊、のちに *New Left Review* の創刊にもたずさわり、英国ニュー・レフト第一世代の中核を形づくった。反帝国主義と反スターリニズムの立場から、東西両陣営のいずれにも与せず、また労働党にも共産党にも与せず、新しい社会主義への「第三の道」を模索する――本書を読まれた方は、そうしたテイラーの思考のスタイルが、「ほんもの」という理想に対しても貫かれていることを了解されるであろう。実際そのスタイルは、カナダに帰国後も一貫したものであった。六一年から母校マギール大学で教鞭をとるかたわら、折からの「静かな革命」では、二大政党のユニオン・ナシオナルにも自由党にも与せず、新民主党（New Democratic Party）に身を投じている。「共同体か個人か」ではなく、いかにしてケベックの独自性とカナダの一体性を、また共同体の権利と個人の権利を両立させるかが問題であることを訴え、六二年―六八年には連邦下院議員にも立候補、のちに首相となるP・E・トルドーと議席を争ったりもした。また六六年―七一年には副党首も務めている。七五年に大著 *Hegel* を公刊。同書はもとよりヘーゲル研究の書であるが、同時にマルクスの自由概念に対する根底的な批判の書でもあり、これ以後テイラーは次第に、本書にあるような Tocquevillean（トクヴィル主義者）としての姿勢を鮮明にしてゆく。七六年からは再びオックスフォードに戻り、名門講座・チチェリ社会政治理論教授の任にあたるとともに、オール・ソウルズ・カレッジのフェローも務めた。その間にも、八〇年のケベック独立を問う州民投票に際して、精力的に独立反対運動をしたところはいかにもテイラーらしい。八一年にマギール大学に帰ってからも、理論と実践の両面にわたる活動は衰えを知らない。八九年には、西洋における「自己」の系譜学ともいうべきもう一つの大著 *Sources of the Self* を公刊、その後も数々の著作を発表する一方、ケベック問題をめぐっても、ケベックの独自性とカナダの一体性を両立させるべく一貫して発言を重ね、運動を展開してきている。マギール大学で長らく哲学と政治学を教え、現在は同大学名誉教授。また、ノースウェスタン大学教授（Board of Trustees Professor）の職にもある。

テイラーの著書は以下のとおりである。

The Explanation of Behaviour（London: Routledge and Kegan Paul, 1964）

Pattern of Politics（Toronto: McClelland and Stewart, 1970）

Hegel（Cambridge: Cambridge University Press, 1975）

Erklärung und Interpretation in den Wissenschaften vom Menschen（Frankfurt: Suhrkamp, 1975）

Hegel and Modern Society（Cambridge: Cambridge University Press, 1979）〔渡辺義雄訳『ヘーゲルと近代社会』（岩波書店、一九八一年）〕

Social Theory as Practice（Delhi: Oxford University Press, 1983）

Philosophical Papers I: *Human Agency and Language*（Cambridge: Cambridge University Press, 1985）

Philosophical Papers II: *Philosophy and the Human Sciences*（Cambridge: Cambridge University Press, 1985）

Negative Freiheit?（Frankfurt: Suhrkamp, 1988）

Sources of the Self: The Making of the Modern Identity（Cambridge, Mass.: Harvard University Press, 1989）

The Malaise of Modernity（Toronto: Anansi, 1991）

Republished as *The Ethics of Authenticity*（Cambridge, Mass.: Harvard University Press, 1992）

Multiculturalism and "the Politics of Recognition", Amy Gutmann et al.（Princeton: Princeton University Press, 1992）〔佐々木毅・辻康夫・向山恭一訳『マルチカルチュラリズム』（岩波書店、一九九六年）〕

Reconciling the Solitudes: Essays on Canadian Federalism and Nationalism ed. Guy Laforest（Montreal: McGill-Queen's University Press, 1993）

Philosophical Arguments（Cambridge, Mass.: Harvard University Press, 1995）

A Catholic Modernity? ed. James L. Heft et al.（New York: Oxford University Press, 1999）

Varieties of Religion Today: William James Revisited（Cambridge, Mass.: Harvard University Press, 2002）

この他に日本語で読めるものとして、以下の論文がある。

「アトミズム」（田中智彦訳）、『現代思想』第二二巻五号（青土社、一九九四年一月）、一九三―二一五頁。

「カント」（斎藤悠美訳）、Z・A・ペルチンスキー、J・グレイ編『自由論の系譜――政治哲学における自由の観念』（飯島昇藏・千葉眞訳者代表、行人社、一九八七年）、一三一―一五八頁。

また、一九九四年に来日した際のインタヴューが以下に掲載されている。

「多文化主義・承認・ヘーゲル」、『思想』第八六五号（岩波書店、一九九六年七月）、四一二七頁。

日本では右の著作のうち、*Multiculturalism and 'the Politics of Recognition'*（邦訳『マルチカルチュラリズム』）がひろく読まれているようだが、来日時のインタヴューでも指摘されているように、同書はプリンストン大学で行った短い講演にすぎず、そのためかならずしも意を尽くしたものとはなっていない。他方、同書と本書の原著書 *The Ethics of Authenticity*（*The Malaise of Modernity*）とを対照すると、前者が後者を下敷きにしていることは明らかである。それゆえ、本書がこれまでのテイラー理解を深め、あるいは改めるのに資するところも少なくないであろう。日本ではテイラーは、八〇年代後半からもっぱらコミュニタリアン（共同体主義者）の一人として、それゆえにリベラリズム批判の論客として理解されてきた。個人の自由や権利よりも共同体のきずなを重視するコミュニタリアンというテイラー像は、とりわけアメリカと日本に根強く、そしてその場合、多くは「リベラリズム（自由主義）対コミュニタリアニズム（共同体主義）」という図式が前提になっている。だが、そうしたテイラー像なり図式なりの是非はひとまず措くとしても、それらがテイラー自身の語ることにどれほど耳を傾けた帰結なのか、本書を訳し進めるほどに疑問を禁じえなかった。いわば「ほんもの」という理想をめぐる論争のあり方が、当のテイラー自身をめぐって再現されているかのようであった。しかしながら、本書に見てとられるように、テイラーの哲学・思想もまた歴史・文化と分かちがたく結びついている。本書が歴史に、とりわけ思想史に根ざしたテイラーの哲学・思想の再検討へ、ひいては「リベラル―コミュニタリアン」論争の再検討へと至るきっかけになるとすれば、訳者としてこれほどの喜びはない。

翻訳にあたっては、もともとラジオで放送された講義であったことも勘案して、口語体のわかりやすい文章にすることを心がけた。その際に苦慮したのは、やはり"authenticity"の訳語であった。「真正性」や「真率性」といったことばでは、格調は高くなるかもしれないが、多くのひとの理解に資するとは思われない。最終的には、"authenticity"が芸術作品の真贋に、すなわち「ほんもの」か「にせもの」かにゆかりのあることばであり、またそうした語義は本書における用法にもかなっていると判断して、「ほんもの」という訳語を当てることにした。なお「ほんもの」ということば自体は、野島秀勝氏による Lionel Trilling, *Sincerity and Authenticity* (Cambridge, Mass.: Harvard University Press, 1972) の訳書『〈誠実〉と〈ほんもの〉』(法政大学出版局、一九八九年)に示唆を得ている。ちなみに同書は、本書を理解するうえではもちろん、

"authenticity"の思想史としてもたいへん興味深く、刺激的である。前掲の藤原保信『政治哲学の復権』とともに、再版が期待される書の一つである。

訳出の作業では最後まで多くの方々に助けられた。西永亮氏と遠藤美奈氏は翻訳の草稿に丹念に目を通し、いくつもの有益なアドバイスをしてくださった。本書がより読みやすく、より正確な内容になっているとすれば、それはお二人からの力添えの賜物といっても過言ではない。お二人にはあらためて心からの感謝を捧げたい。また、訳語の選定や英文解釈について、訳者の細々とした質問にも快く応じてくださった東京医科歯科大学教養部の同僚諸氏にも厚く御礼を申し上げたい。すぐれたよき同僚に恵まれていることの有り難さを身にしみて感じた次第である。もとより翻訳にかかるすべての責任がひとり訳者にあることはいうまでもない。読者の方々の批判を仰ぐことができれば幸いである。

今回、翻訳の機会を与えてくださったのは川本隆史氏であった。御礼を申し上げたい。また産業図書の鈴木正昭氏は、訳者の仕事をじっくり見守り、かつ時宜を得た配慮をしてくださった。鈴木氏の粘り強く、そして温かいサポートがなければ、本書は日の目を見ることがなかったに違いない。最後にそのことを記して、心から御礼を申し上げる次第である。

二〇〇三年十二月二四日

田中智彦

文庫版訳者あとがき

本書の初版が刊行されたのはもう二十年近く前になる。当時は思いもよらなかったが、その後テイラーの著書が次々と翻訳されるようになり、単著だけでも今日までに四冊が刊行されている。

『今日の宗教の諸相』（伊藤邦武・佐々木崇・三宅岳史訳）岩波書店、二〇〇九年。*Varieties of Religion Today: William James Revisited*, Harvard University Press, 2002.

『自我の源泉——近代的アイデンティティの形成』（下川潔・桜井徹・田中智彦訳）名古屋大学出版会、二〇一〇年。*Sources of the Self: The Making of the Modern Identity*, Harvard University Press, 1989.

『近代——想像された社会の系譜』（上野成利訳）、岩波書店、二〇一一年。*Modern*

Social Imaginaries, Duke University Press, 2004.『世俗の時代』上（千葉眞・木部尚志・山岡龍一・遠藤知子訳）・下（千葉眞・石川涼子・梅川佳子・高田宏史・坪光生雄訳）、名古屋大学出版会、二〇二〇年。*A Secular Age*, Harvard University Press, 2007.

しかもここには主著とみなされる三冊のうち、『自我の源泉』と『世俗の時代』の二冊までもが含まれている（もう一冊は *Hegel*, Cambridge University Press, 1975）。このようにして日本語でテイラーの思想に触れ、親しめる日が訪れたことはとても喜ばしい。それはまた日本の翻訳文化のよいところでもあるだろう。

本書を読まれた方にはおわかりのように、テイラーの議論は哲学、倫理、宗教、芸術、政治、……と多岐にわたり、多彩をきわめる。そのために翻訳に際しては（そして後の『自我の源泉』ではなおさらのことであったが）、文学や美術の文献にまであたらねばならないのが一苦労であった。しかし他方で、「歴史を綴る」「歴史に学ぶ」とはこういうことなのかと目を開かれる思いもした。このことと関連して、テイラーの言葉の中でも私にとってもっとも印象深いものの一つが次の一節である。

In order to have a sense of who we are, we have to have a notion of how we have become, and of where we are going. ―― *Sources of the Self*, p.47.

（私が何者であるかに関する感覚をもつためには、私は、自分がどのように歩んできたか、そして　どこへ進みつつあるのかについて考えをもつ必要がある。――『自我の源泉』、五五頁。）

この言葉はもともと「人間の条件」としてのアイデンティティについてのもので、本書でもひときわ重要な論題として同様のことが繰り返し語られていた。それだけでも印象深いのだが、テイラーの著書を見わたすと、この言葉はテイラーがなぜ私たちに宛て筆を執り続けてきたのかを端的に物語るものに思われてくる。そして実際にも、私たちはもう一つの主著で再び次のような一節に出会うことになる。

Our past is sedimented in our present, and we are doomed to misidentify ourselves, as long as we can't do justice to where we come from. ―― *A Secular Age*, p.29.

（西洋社会の過去は、その現在の中に沈殿している。自分たちが由来した過去を正しく理解することができなければ、人々は自分たち自身を誤って認識してしまう運命にある。

——『世俗の時代』上、三五頁。）

"do justice to" とは「公平に評価する」「正当に扱う」「十分その持ち前を発揮させる」ことだが、本書を顧みるなら、「ほんもの（authenticity）」という理想をテーマにそれをしたのが本書であったと見ることができるだろう。またその意味では、近代的アイデンティティをテーマにした『自我の源泉』と世俗化をテーマにした『世俗の時代』という二つの大著、それら「私たちは何者なのか／何者でないのか」という問いをめぐる二大「シンフォニー」の間にあって、同じライトモティーフで書かれた「シンフォニエッタ」に本書を喩えてもよいかもしれない。たしかに著作のタイトルからすると、テイラーの問題関心は時とともに変遷しているように見える。しかし、本書と二つの主著が右のような関係にあるとするなら、例えば大樹が地に深く根をおろし、次第に幹を太くし、枝を広げてゆくように、哲学から政治にまで多岐にわたり、多彩をきわめる一連の著作は、テイラーのライフワークである「私たちは何者なのか／何者でないのか」という問いをめぐる探究が、時とともに深さと厚みを増し、広がりゆくのを目に見える形にしたものであると、そう理解することもできるだろう。

そして本書と二つの大著のいずれにおいても、テイラーは私たちが「自分たち自身を誤って認識してしまう運命」に呑まれてしまわないように、私たち自身の来歴と真の姿とを描き出し、私たちにそれらを直視することを説く。それは私たちがなおも自由に、よりよく生きることのできる可能性を閉ざさないためでもある。本書から例を引くなら、たとえ「鉄の檻」というイメージに多くの真実が含まれているとしても、それはけっして宿命などではない。私たちの自由を過大評価してはならないが、私たちは閉じ込められてはいないし、無力なのでもない。「穏やかな専制」についてもしかりである。未来は開かれているのであり、またそうであればこそ、私たちはどこから来て、今ある私たちになったのかを知らなければならない。なぜなら、その開かれた未来からどのような未来へと歩み入るかは、私たちが私たち自身をどのように認識するかにかかっているからである。

この点で、テクノロジーにいかにして新たな枠組を与えるかを重要な問題として提起していることは、本書ならではのこととして、また本書の今日的な意義の一つとして注目されてよいだろう。一九七五年に開かれた第二十五回パグウォッシュ・シンポジウムの席上、核テクノロジーについてフェルトは次のように語ったが、それはバイオテクノロジーなどその他のテクノロジーにも妥当する。

不幸にして、社会動力学の第一法則は、技術的に可能なものは何であれ開発される、ということであり、その第二法則は、開発されたものはどんなものでも必ず用いられる、ということである。人類が生き延びられるかどうかは、これら二つの法則をわれわれが無効なものにすることができるかどうかにかかっている。（湯川秀樹・朝永振一郎・豊田利幸編『核軍縮への新しい構想』岩波書店、一九七七年、八八頁。）

テクノロジーがこのようなものであるとするなら、いかにしてそれに新たな枠組を与えればよいのか。テイラーによればテクノロジーの問題は、ほんものという理想の息づく文化に、そして民主的な生と政治に結びつけて探究されなければならない。たしかに本書ではそうした探究の必要なことが述べられるにとどまってはいる。しかしまた、金森修の次の言葉を思い起こす時、テイラーの示す道がたどられるべき一つであることもたしかであるように思われる。

一般に、自分の来歴を知らない知識、知ろうとしない知識は、同時代の社会状況や政治的介入に振り回され、その場その場でただ狂奔しているだけのものに成り下がる。大きな時間の流れの中で、今一瞬を定位してみるという作業がもつ重要性を、科学者もまた、強く自覚すべきだ。そうすれば、科学もまた、長い時間をかけて創り上げられてきた一つの文化なのだと認識できるはずだ。（『科学思想史の哲学』岩波書店、二〇一五年、三三〇頁。）

『世俗の時代』でテイラーは宗教哲学者ともみなされるようになったが、そのことに関連して最後に二つのことを述べておこう。まず、本書ではキリスト教には特に触れられてはいないせいか、「私たち」がそのまま「現代人一般」を意味するとは限らないことを忘れてしまいそうになるが、テイラー自身はそのことに自覚的であることを指摘しておきたい。『世俗の時代』では、「「ラテン系キリスト教世界」と呼ばれてきたものに主要な源泉をもつ文明」にかつて生きた人びとの「生きられた経験（lived experience）」を読み解くことがテーマであること、そして「多系的近代（multiple modernities）」という概念を用いて、自分がたどるのはあくまでも西洋という一つの系であることが明言されている。したがって、別の系に連なる「私たち」にはまた別の、「私たちは何者なのか／何者でないのか」という問いとその探究——西洋の系との差異や重なりを見定めながらの——があるのであって、それはその「私たち」が取り組むべきものであることになるのだろう。とはいえ、テイラーはそこに「人間一般」としての共通性や普遍性を見てもいる。またそうであればこそ、近代の多系性は未来が閉ざされていないことの約束にもなる。その意味でも、*Philosophical Papers*（1985）をはじめとする人間学（philosophical anthropology）の著書の翻訳が期待される。それによって本書や他の著書の理解も、テイラーの思想への理解も、いっそう深められてゆくことになるはずである。

では本書のテイラーは、いまだ宗教哲学者ならざるテイラーなのだろうか。もちろんそうではない。本書に先立つ『自我の源泉』の結論で、テイラーは彼自身が未来に抱く希望についてこう述べていた。

それは私がユダヤ－キリスト教の有神論に――歴史におけるその信奉者の前科がどれほどおぞましくとも――内在していると思う希望であり、およそ人間が独力で成就できるのよりも完全な、神による人間の肯定というこの有神論の核にある約束に内在していると思う希望である。（『自我の源泉』、五八一頁）

そしてこれ以上のことを語るには、別に一書が必要になるとして筆を擱《お》いている。今から思えばその一書が『世俗の時代』であったのだろう。かつて英国に降り立った時に「カトリックにしてマルクス主義者」であった若者は、本書にあるようにトクヴィル主義者へと変わった。しかし、カトリックであることまで変わったわけではない。だがそうであればこそ、キリスト教の歴史に対するその冷静な認識と厳しい批判は、テイラーの思想を理解する上で重要な意味をもつ。『世俗の時代』から一例を引こう。

ユダヤ的一神教、およびその後に生じた種々のブレイクスルー――本書で私が取り組んできたラテン系キリスト教世界における大文字の改革の長いプロセスなど――が、霊的生活の重要な側面を、事実、以前の「異教」においては他のあらゆる欠陥にもかかわらず花開いていたその重要な側面を、押し潰し、脇に追いやるような仕方で（そしておそらく、これは別様の仕方ではあり得なかっただろうが）完遂された、ということが問題なのだ。（『世俗の時代』下、九一七―九一八頁）

「キリスト教的な生」が約束していたはずのこと、そのありえたはずの未来がなぜ、どのようにして歪められ、今あるようになってしまったのかを微に入り細を穿《うが》つように解き明かしながら、しかしテイラーは彼自身の未来への「希望」を捨て去りはしない。本書を読まれた方が『世俗の時代』を繙《ひもと》くなら、あらためてそこに一貫する思想と議論のスタイルに気づかれることだろう。またこのことは、イヴァン・イリイチの思想と議論を思い起こさせもする。イリイチは、*corruptio optimi quae est pessima*（最善のものの堕落は最悪である）として、近代西洋をキリスト教信仰の「倒錯」（perversion）であり「裏切り」（betrayal）であると見た。それでいて彼も未来への「希望」を捨て去ることはなく、「闘争」を諦めることもなかった。そしてテイラー自身、『世俗の時代』に結実する探究の歩みにおいて、イリイチの思想に時に鼓舞され、時に導かれてきたと語っている。テイラーにしてもイリイチにしても、その思想とキリスト者としての生は不可分である。むしろそれを分かちうる、分かつべきだとすること自体が、今が「世俗の時代」であることの証しとも言えるだろう。その意味で、テイラーがイリイチの遺著に捧げた言葉は、テイラーそのひとにもふさわしいと思われる。

This message comes out of a certain theology, but it should be heard by everybody.
（そのメッセージはある神学に由来する。しかしそれは、誰の耳にも聞き届けられるべきメッセージである。）

Charles Taylor, Foreword, in Ivan Illich and David Cayley, *The Rivers North of the*

Future: The Testament of Ivan Illich, Anansi, 2005, p.xiv. イリイチ『生きる希望――イバン・イリイチの遺言』(臼井隆一郎訳)藤原書店、二〇〇六年、一八頁〔一部改訳〕。

今回、本書がちくま学芸文庫の一冊になりえたのは、ひとえに筑摩書房の守屋佳奈子さんのお陰である。本書を見いだしてくれただけではない。私事ではあるが、新天地で過去に例を見ないほどの忙しさにもかかわらず、文庫化のための作業を何とか終えることができたのも、守屋さんのきめ細かな配慮と温かい励ましがあればこそであった。あらためて心よりの感謝をお伝えしたい。

また、宇野重規さんに解説の労をとっていただけたのは望外の喜びであった。当代随一の政治学者による解説が付せられたことは、テイラーにとっても嬉しいことに違いなく、御高配に厚く御礼を申し上げたい。

文庫化にあたっては、記号の整理や一部の語句の修正・統一などを行った。編集部の手厚いサポートもあり、訳書としてさらに体裁を整えることができたと思う。とはいえ、なお改訂すべきところが残されているとすれば、それはもちろん訳者の責任である。

私をテイラーに出会わせてくれたのは、亡き恩師・藤原保信先生であった。いつしか当時の先生と同い年の自分がいる。もとより遠く及ばない我が身だが、せめてあの時のように、本書によって誰かとテイラーとの縁を結ぶことができるなら幸いである。

田中智彦

解説　テイラーを理解するための格好の入り口

宇野重規

　チャールズ・テイラーという人物を私たちはどのように捉えるべきなのだろうか。あらためて強調するまでもなく、テイラーは現代を代表する政治哲学者の一人である。テイラーというと、「リベラル―コミュニタリアン論争」の文脈で記憶する読者も少なくないだろう。あるいはカナダのケベック州出身であるテイラーによる、多文化主義をめぐる議論を想起する人もいるはずだ。さらには、美学や美術史にも通じたテイラーが近代西欧における「自己」の形成を論じた『自我の源泉』こそが、彼の主著だとする考えもありうる。

　しかし大著『世俗の時代』に集大成されたように、近年のテイラーは宗教哲学者としての相貌を色濃くしている。近代化と共に必然的に世俗化が進行するというマックス・ウェーバー以来の伝統的な「世俗化」論に挑戦するテイラーは、「世俗化」の意味を問い直すと同時に、現代社会における宗教性の行方に注目している。これまでも数々のテーマで世界の議論を主導してきたテイラーは、いまや「ポスト世俗（化）」論の主人公の一人でもある。そのような視点から振り返ると、テイラーの過去の著作にもまた、彼の宗教哲学的関心が貫かれているように思えてくる。

それでは、テイラーの長い研究者人生において、『〈ほんもの〉という倫理』はどのような位置を占めるのだろうか。一九九一年のカナダのラジオ番組の内容をもとにする本書は、「リベラル—コミュニタリアン論争」や多文化主義をめぐってテイラーが活発に議論を展開していた時期の、ほんの合間に書かれた作品にも見える。刊行されたのが大著『自我の源泉』の二年後であり、いかにも小品という印象を与える。後年（特に世紀末から二十一世紀以降）に顕著になる宗教哲学的色彩は、まだそれほど強くない。

そうだとすれば、『〈ほんもの〉という倫理』の意義は小さいのだろうか。そうはいえないと思う。ある意味で、本書には、彼が展開した多様な議論のエッセンスが濃縮されている。その気になれば、その後のテイラーの〈宗教論的転回〉を予告するものとして理解することも可能である。何より、一般の市民に向けて語ったときのテイラーのソフトな語り口が魅力の本書には、固有のおもしろさや読みどころがあるように思われる。

＊

最初に触れておかねばならないのは「〈ほんもの〉」であろう。〈ほんもの〉というのは authenticity の訳語であるが、これが少し難物である。硬く訳せば「真正性」であろうが、いずれにしてもニュアンスが分かりにくい。

といっても、雑誌の記事などで、最近では「オーセンティックな」などという言葉を見かけることも珍しくなくなっている。高級なレストランや服飾品を語る際に、「オーセンティックな輝き、雰囲気」といった表現が、（いささかの気取りを込めて）使われることもある。チャチな大量生産ではない、〈ほんもの〉であるという点が強調されており、コピーや偽物ではないことが重要とされる。とはいえ、これはテイラーの意図しているものとは少しずれているように思われる。

テイラーによると、〈ほんもの〉という倫理が産声をあげたのは十八世紀末である。それ以前の、デカルトやロックに代表される十七世紀の個人主義に対する批判として生まれたこの倫理は、ロマン主義時代の落とし子でもあるとテイラーはいう。十七世紀の個人主義がとかく自分の頭を使って物を考えることを強調し、社会との関係よりも自らの人格や意思を重視するものであったとすれば、〈ほんもの〉の倫理は個人の内面から発する道徳性や共同体的紐帯をより重視する。「自己との対話」や「他者とのふれあい」こそが大切であるとテイラーは強調する。

問題は、この〈ほんもの〉というニュアンスが、現代日本において十分に理解されるかどうかである。テイラーの意図を捉えるためには、場合によっては、「自分らしさ」といった言葉を補ってみてもいいかもしれない。筆者が『〈私〉時代のデモクラシー』（岩波新書）で論じたように、「自分らしさ」は現代のキーワードである。誰もが「僕らしさ」「私らしさ」にこだわり、また至るところで「あなたらしさ」を問われる。平等といっても、「みな同じ」では満足できない現代人は、「一人ひとり（少なくとも他人と同程度には）みな違う」ことを求めるのである。それゆえに、「自分らしさ」は誇らしいものであると同時に、（どこか）強迫的でもある。

ある意味で、十八世紀末に誕生した〈ほんもの〉の倫理は、二十世紀後半になって、少なくとも多くの「先進国」とされる国々で大衆化し、当たり前のものになったのだろう（このあたりの文脈はテイラー自身によって、『世俗の時代』において詳細に分析される）。しかしながら、本書において〈ほんもの〉は、むしろそのオリジナルの可能性が積極的に強調されているように思われる。

個人は自己を掘り下げ、自己との対話を繰り返すことによって、より豊かな道徳性の源泉に触れることが可能になる。自分というものを考えるにあたって、抽象的に「自分らしさ」を考えるだけでは必ず行き止まりにぶち当たる。自分という存在がどこから来て、どこに行くのか。このことを考えれば、自ずと大切な過去の出来事や他者との対話が思い出されるはずである。このような「重要な他者」との関係によって築かれる道徳的な「地平」こそが、「自分らしさ」を生み出し、〈ほんもの〉の倫理をかたちづくるとテイラーはいう。

*

それにしてもテイラーの位置づけは難しい。一方で彼は、現代世界において道徳の地平が失われることを危惧し、すべてを合理化する道具的理性の優位に警告を鳴らし、他者と共にある政治的自由を擁護する。問題の根源にあるのは（個人を分離した原子のように捉える）近代個人主義のアトミズムであるとするテイラーは、まさにコミュニタリアン（共同体論者）の論客であろう。

しかしながら、テイラーは同時に、現代の個人主義をエゴイズムや快楽主義、あるいはミーイズムであると批判するアラン・ブルーム（『アメリカン・マインドの終焉』）、ダニエル・ベル（『資本主義の文化的矛盾』）、クリストファー・ラッシュ（『ナルシシズムの時代』）らとは明確に一線を画する。彼らはいわば現代の文化的保守主義者といえるだろうが（テイラーは「文化的ペシミズム」と呼ぶ）、自分は彼らとは違うというのである。テイラーにいわせれば、彼らは自分たちの批判する「自己達成の個人主義」に秘められた力強い理念、すなわち〈ほんもの〉の倫理がわかっていない。彼らはむしろその倫理の堕落形態を批判しているに過ぎないというのである。

そうだとすれば、堕落していない方の〈ほんもの〉の倫理の説得力こそが問題になるだろうが、その判断は本書を読む読者に委ねるしかない。

テイラーは、個人の選択それ自体を目的とする立場をとらない。もちろん他者の選択について、私たちは干渉すべきではない。すべての個人は自分のアイデンティティを発展させる平等な機会を持つべきだからである。それでもあらゆる個人の選択の内容は等しく尊重されるべきであり、その中身について評価することはできないという完全な相対主義を、テイラーは取らない。選択には意味のある選択と、そうでない選択がある。その違いは、一人ひとりがいかに自己と対話し、自らの道徳的地平を自覚するかにかかっているとテイラーはいう。

個人はいかにして「自分らしさ」を発見するのだろうか。テイラーはヒントを「表現（expression）」に見出そうとしている。言い換えれば、私たちは何かを創造することによって初めて自分を発見できるという。ここでテイラーは得意の芸術論に話題を展開する。

かつての表現者、例えばシェークスピアは、自分の表現の背景に、人々の間で共有される公的な意味の秩序を前提にできた。ダンカン王の死は、「王殺し」として語られてきた宗教的・文学的・美術的な一定の了解、あるいは参照点によって理解された。少なくとも劇作家はそれを期待できた。しかしながら、今日の芸術家や詩人は、そのような公的な意味の秩序を前提にはできない。それゆえに表現者は自分をとりまく世界を象徴として捉え、それが自分のうちにどのような感情を生み出すかを理解しなければならない。そしてそのような感情を「秩序」として表現することで、それに共鳴する感性の持ち主に理解される。

このことは現代的な自己発見に何を示唆するだろうか。私たちは自己を見つけるために、まず自らの内なる感情を深く探らなければならない。その感情は自分にとっての世界の反響であろう。その反響のうちに何らかの秩序を見出し、それをかたちあるものとして表現する。それが「自己発見」であり、この営みを通じて、似たような感性を持つ他者への広がりを持つようになる。このようにして、人は自らにとって意味ある道徳の「地平」を見出し、その地平においてのみ〈ほんもの〉の倫理を持ちうるのである。

＊

後年のテイラーであれば、このような〈ほんもの〉の倫理を、より宗教的なものとの関連において捉えたであろう。しかしながら、本書『〈ほんもの〉という倫理』では、宗教哲学的な含意はそれほど前面には出ていない。むしろ現代個人主義の両義性を、テイラーならではの、政治や社会から美術や文学までを自由に行き来する魅力的な語り口で解きほぐしている。階層社会を前提にした「名誉」から、平等社会における「尊厳」への移行など、興味深い論点も多い。今、テイラーを読み直すなら、本書は格好の入り口になる本なのではなかろうか。

（うの・しげき　東京大学教授　政治思想史）

59. この点については拙稿 “Shared and Divergent Values,” in Ronald Watts and Douglas Brown, eds., *Options for a New Canada* (Kingston: Queen's University Press, 1991) でかなり詳しく論じている。

訳に、関口浩訳『技術への問い』(平凡社、2013年)〕を見られたい。わたしから見てハイデガーがこの著作や他の著作で目論んでいることは、わたしが他に採りうる〔テクノロジーの〕枠づけ方と言ってきたことに近い。同じようにハイデガーに多くを負いつつ、こうした考えの興味深い発展をきわめて詳細に展開したものとして、Borgmann, *Technology and the Character of Contemporary Life* を見られたい。

56. 「自由はこの領域のなかではただ次のことにありうるだけである。すなわち、社会化された人間、結合された生産者たちが、盲目的な力によって支配されるように自分たちと自然との物質代謝によって支配されることをやめて、この物質代謝を合理的に規制し自分たちの共同的統制のもとにおくということである」。*Capital*, vol. III (New York: International Publishers, 1967), p. 820.〔マルクス＝エンゲルス全集刊行委員会訳『資本論』第3巻第2分冊(大月書店、1968年)、1051頁〕

57. Mary Ann Glendon, *Abortion and Divorce in Western Law* (Cambridge: Harvard University Press, 1987) は、このことが中絶や離婚といった問題に関するアメリカ的な判断にどれほどの影響を与えているかを、比較可能な西洋社会の場合と対照して明らかにしている。

58. デモクラシーの安定性の問題については以下の拙稿で提起した。"Cross-Purposes: The Liberal-Communitarian Debate," in Nancy Rosenblum, ed., *Liberalism and the Moral Life* (Cambridge: Harvard University Press, 1989). アメリカの政治がこのような偏った一括政策に流れてゆくことについてのすぐれた議論として、Mi-chael Sandel, "The Procedural Republic and the Unencumbered Self," in *Political Theory* 12 (February 1984) がある。また以下の拙稿では、この点からアメリカのシステムとカナダのシステムを比較した。"Alternative Futures," in Alan Cairns and Cynthia Williams, eds., *Constitutionalism, Citizenship and Society in Canada* (Toronto: University of Toronto Press, 1985). ベラーたちの *Habits of the Heart*〔『心の習慣』〕と *The Good Society*〔『善い社会』〕は、こうしたアメリカの政治文化に対するすぐれた批判となっている。

Œuvres Complètes (Paris: Gallimard, 1959), p. 1045〔今野一雄訳『孤独な散歩者の夢想』(岩波書店、1960年)、85-86頁〕を見られたい。

52. このような分裂については拙著*Hegel*で詳しい説明を展開している。

53. Francis Bacon, *Novum Organum*, I. 73, translation from *Francis Bacon: A Selection of His Works,* ed. Sydney Warhaft (Toronto: Macmillan, 1965), pp. 350–51.〔桂寿一訳『ノヴム・オルガヌム』(岩波書店、1978年)、119頁〕

54. わたし〔がここで述べていること〕はBenner and Wrubel, *The Primacy of Caring*〔『現象学的人間論と看護』〕の深い洞察に満ちた議論に多くを負っている。この本は、わたしがここで論じるようにして道具的理性に新たな枠組を与えるうえで、哲学がどれほど貢献できるかを示してくれている。

55. 〔テクノロジーに〕枠をはめるうえで他に採りうるやり方という観点からここでわたしが提起している論点は、ときにコントロールという観点から提出される場合がある。テクノロジーに振り回されるか、それともテクノロジーをコントロールしてわたしたちの目的にそわせるか、というわけである。しかし、こうした定式に問題があるのは一目瞭然だろう。この定式は支配という枠組から一歩も外には出ていないうえに、わたしたちの生にこれまでとはまったく違う形でテクノロジーを位置づけることを考慮に入れていない。テクノロジーを支配することは、テクノロジーに対して——テクノロジーをつうじて他のすべてのものに対してそうしているように——道具主義的な姿勢をとることである。そのようなことでは、テクノロジーをさきに見たようなケアの倫理や純粋な思考の能力の陶冶といった非道具主義的な姿勢のうちに位置づける可能性は開かれてこない。この論点についてはWilliam Hutchinson, "Technology, Community and the Self," Ph. D. thesis, McGill University, 1992の議論を見られたい。

〔テクノロジーの〕枠づけに関するこの議論では明らかに、実に多くのものをハイデガーから借りている。とくに "The Question Concerning Technology," in *The Question Concerning Technology and Other Essays*, trans. William Lovitt (New York: Garland Publishers, 1977)〔Heidegger, *Die frage nach der Technik*からの翻

of the Great Powers (New York: Random House, 1987)〔鈴木主税訳『大国の興亡―― 1500 年から 2000 年までの経済の変遷と軍事闘争』上下（草思社、1988 年)〕で、こちらはまさに擬似帝国的な地位の喪失についての著作である。またカナダ映画 "*Le déclin de l'empire Américain*" にも言及すべきだろう。この映画もここに述べた文化的ペシミズムをあて込んで上映され、ケベックの映画には珍しく国境の南側でヒットした。

45. Earl Wasserman, *The Subtler Language* (Baltimore: Johns Hopkins University Press, 1968), pp. 10-11.

46. それゆえにワーズワスは、彼が、

 嵐が近づいてきて、
 夜が闇に包まれるとよく岩蔭に立って、
 年ふりた大地の、霊妙な言葉や
 彼方を吹きわたる風に宿っている物音に
 じっと耳をすませていた

 (『序曲』〔第二巻〕307-11 行).〔岡三郎訳『ワーズワス・序曲――詩人の魂の成長』(国文社、1968 年)、66-67 頁。ただし、邦訳は 1805 年版を原本としているため 307 行が存在しないので、当該箇所のみ新たに訳出した。〕

次第をわたしたちに語るのである。

47. Charles Rosen and Henri Zerner, *Romanticism and Realism* (New York: Norton, 1984), p. 58. この本の第二章には、ロマン主義がもっていた自然象徴主義への強い指向に関する非常にすぐれた議論が含まれている。

48. Rosen and Zerner, *Romanticism and Realism*, pp. 68 ff.

49. Rosen and Zerner, *Romanticism and Realism* p. 67 からの引用。ローゼンとツェルナーはこれをコンスタブル〔英国の風景画家 John Constable, 1776-1837〕の言葉――わたしにとって絵画とは感情を表す別の言葉にすぎない――と関係づけている。

50. Borgmann, *Technology and the Character of Contemporary Life*, chapter 11.

51. Rousseau, *Les Rêveries du Promeneur solitaire*, Ve Promenade, in

Eugenio Donato, eds., *The Structuralist Controversy* (Baltimore: Johns Hopkins University Press, 1972), pp. 264-65.

38. Michel Foucault, interview, in H. Dreyfus and P. Rabinow, *Michel Foucault: Beyond Structuralism and Hermeneutics* (Chicago: University of Chicago Press, 1983), pp. 245, 251.〔山形頼洋ほか訳『ミシェル・フーコー——構造主義と解釈学を超えて』(筑摩書房、1996年)、331-332頁、340-341頁〕

39. 表現主義については拙著*Hegel* (Cambridge: Cambridge University Press, 1975) の第一章ならびに*Sources of the Self*〔『自我の源泉』〕の第二十一章で詳しく論じている。

40. Friedrich Schiller, *On the Aesthetic Education of Man*, trans. Elizabeth Wilkinson and L. A. Willoughby, bilingual edition (Oxford: The Clarendon Press, 1967).〔小栗孝則訳『人間の美的教育について』(法政大学出版局、2003年)〕

41. この二つの観念の関係については拙著*Hegel*で詳細に論じている。

42. *Foucault: A Critical Reader*, ed. David Hoy (Oxford: Blackwell, 1986)〔椎名正博・椎名美智訳『フーコー——批判的読解』(国文社、1990年)〕に関するヴァンサン・デコンム (Vincent Descombes) の興味深い論文 (*The London Review of Books*, March 5, 1987, p. 3) を見られたい。その論文のなかで彼は、合衆国とフランスのかなり異なるフーコーの受け取り方について論じている。また以下も見られたい。Jürgen Habermas, *The Philosophical Discourse of Modernity*, trans. Frederick G. Lawrence (Cambridge, Mass.: MIT Press, 1987).〔三島憲一ほか訳『近代の哲学的ディスクルス』1・2 (岩波書店、1990年)〕

43. この点については、また近代的アイデンティティの他の要素についても、拙著*Sources of the Self*〔『自我の源泉』〕でもっと綿密な説明を展開すべく試みた。

44. この点については、二冊の著書の圧倒的な人気——どちらの著者にとってもちょっとした驚きだった——がその証拠である。一冊はこれまで論じてきたブルームの『アメリカン・マインドの終焉——文化と教育の危機』、もう一冊はポール・ケネディの*The Rise and Fall*

を受けることが、ひとつの価値をもつようになった。もっとも上手に歌い、または踊る者、もっとも美しい者、もっとも強い者、もっとも巧みな者、あるいはもっとも雄弁な者が、もっとも重んじられる者となった。そしてこれが不平等への、また同時に悪徳への第一歩であった」。*Discours sur l'Origine et les Fondements de l'Inégalité parmi les Hommes* (Paris: Garnier-Flammarion, 1971), p. 210.〔本田喜代治・平岡昇訳『人間不平等起源論』(岩波書店、1972年) 93-94頁〕

35. たとえば、ルソーが「ポーランド統治論」のなかで、すべてのひとが参加する古代の公的な祝祭について述べている一節を見られたい。*Du Contrat Social* (Paris: Garnier, 1962), p. 345.〔永見文雄訳「ポーランド統治論」、『ルソー全集』第五巻 (白水社、1979年)、367頁〕また、「ダランベールへの手紙」のなかの同じような一節も見られたい。*Ibid.*, pp. 224-25.〔その場合に〕きわめて重要な原理は、すべての者がすべての者から観られるよう、演ずる者と観る者とのあいだにはいっさい不一致があってはならないということである。「そういう劇の題材はいったいどういうことでしょうか。そこでは何を見せるのでしょうか。何にも、と言ってもいいでしょう。……観衆を見せることにするのです。かれら自身を登場人物にするのです。みんなが顔を見せ合って、お互いに他のひとたちを愛し、すべてのひとがいっそう強く結ばれるようにするのです」。〔今野一雄訳『演劇について――ダランベールへの手紙』(岩波書店、1979年)、225頁〕

36. 『精神現象学』第四章を見られたい。

37. デリダのアンチ・ヒューマニズムと過激な、いっさいの制約を免れた自由の感覚との結びつきは、次に引用するような一節のうちに現れてくる。そのなかで彼は、自分の思考様式を描写して次のように述べている――それは「自由な戯れを肯定し、人間とヒューマニズムを超え出てゆこうとする。つまり、形而上学ないしは存在神学の歴史の最初から終わりまで――いいかえれば、おのれの全歴史の歴史をつうじて――まったき現前を夢見、頼みとなる基盤を、ゲームの始まりと終わりを夢見てきた存在者の名にほかならない人間という名を、超え出てゆこうとするのである」。Derrida, "Structure, Sign, and Play in the Discourse of the Human Sciences," in Richard Macksey and

26. このような現に存在する対話者を超えた「超越的な名宛人」の概念に関しては、Bakhtin, "The Problem of the Text in Linguistics, Philology and the Human Sciences," in *Speech Genres and Other Late Essays*, ed. Caryl Emerson and Michael Holquist (Austin: University of Texas Press, 1986)、p. 126 を見られたい。

27. 「ある人がともかくも普通の常識と経験とをもっているならば、彼自身の生活を自分で設計する独自のやり方が、最善のものであるが、その理由は、その設計が本来最善のものであるからではなくて、それが彼独自のやり方であるからである」。John Stuart Mill, *Three Essays* (Oxford University Press, 1975), p. 83.〔塩尻公明・木村健康訳『自由論』(岩波書店、1971 年)、136 頁〕

28. この点は R. Bellah et al., *Habits of the Heart*〔『心の習慣』〕において説得力ある形で立証されている。

29. Gail Sheehy, *Passages: Predictable Crises of Adult Life* (New York: Bantam Books, 1976), pp. 364, 513.〔深沢道子訳『パッセージ――人生の危機』(プレジデント社、1978 年)、139-140 頁、324 頁〕強調は原文。(一部改訳)

30. ベラーたちは *Habits of the Heart*〔『心の習慣』〕で、この種の個人主義と手続的正義との結びつきにとくに言及している。*Habits of the Heart*, pp. 25-26.〔邦訳、30-31 頁〕

31. 近代文化のこうした全体的な転回については、拙著 *Sources of the Self* のとくに第十三章で詳細に議論している。

32. モンテスキューによれば「名誉の本性は優先と特別待遇とを要求するにある」。*De l'Esprit des Lois*, Livre III, chapter vii.〔野田良之ほか訳『法の精神』上(岩波書店、1989 年)、第一部第三編第七章〕

33. 「名誉」から「尊厳」へのこうした推移の意義については以下の議論が興味深い。Peter Berger, "On the Obsolescence of the Concept of Honor," in Stanley Hauerwas and Alasdair MacIntyre, eds., *Revisions: Changing Perspectives in Moral Philosophy* (Notre Dame: University of Notre Dame Press, 1983), pp. 172-81.

34. ルソーは人間の最初の集まりを次のように描いている。「各人は他人に注目し、自分も注目されたいと思いはじめ、こうして公けの尊敬地上的な印象を自分から遠ざけることのできるひとには、その感情だけで十分にこの存在は愛すべき快いものとなる。しかし、たえず情念に悩まされている大多数のひとびとは、そういう状態をほとんど知らないし、あるいはほんのみじかいあいだしか、また不完全にしか味わったことがないので、それについては曖昧な観念しかもつことができず、その魅力を感じとることもできない」。Rousseau, *Les Rêveries du Promeneur Solitaire*, Ve Promenade, in *Œuvre Complètes*, vol. 1 (Paris: Gallimard, 1959), p. 1047.〔今野一雄訳『孤独な散歩者の夢想』(岩波書店、1960年)、88頁〕

22. 「人間は誰しもひとりひとり固有の尺度をもっているのであり、いわば感覚をつうじて得られる感性にはすべて、ひとりひとり独特の規定があるのである」。Herder, *Ideen* [*zur Philosophie der Geschichte der Menschheit*], vii. I., in *Herders Sämtliche Werke*, vol. XIII, ed. Bernhard Suphan, 15 vols. (Berlin: Weidmann, 1877-1913), p. 291.〔鼓常良訳『人間史論』II (白水社、1948年)、112頁〕
23. 道徳的推論に関するこのような見解については、以下の拙稿で詳細に展開している。"Explanation and Practical Reason," Wider Working Paper WP 72, World Institute for Development Economics Research, Helsinki, 1989.
24. George Herbert Mead, *Mind, Self and Society* (Chicago: Chicago University Press, 1934).〔河村望訳『精神・自我・社会』、デューイ=ミード著作集6 (人間の科学社、1995年)〕
25. こうした内的な対話性はM. M.バフチンと彼の仕事に依拠するひとびとによって探究されてきた。バフチンの著作としては、とくに *Problems of Dostoyevsky's Poetics* (Minneapolis: University of Minnesota Press, 1984)〔望月哲男・鈴木淳一訳『ドストエフスキーの詩学』(筑摩書房、1995年)〕を見られたい。また、Michael Holquist and Katerina Clark, *Mikhail Bakhtin* (Cambridge: Harvard University Press, 1984) ならびにJames Wertsch, *Voices of the Mind* (Cambridge: Harvard University Press, 1991)〔田島信元ほか訳『心の声——媒介された行為への社会文化的アプローチ』(福村出版、1995年)〕も見られたい。

16. 言うまでもなく、ある種の俗流マルクス主義にとってはノーという答は自明のことである。〔かれらにしてみれば〕観念とは経済上の変化の所産にほかならない。しかし、非マルクス主義の社会科学もその多くが、暗黙のうちに同じような前提に立って仕事をしている。社会科学の基礎を築いたすぐれた学者のなかにはウェーバーのように、歴史においては道徳上の観念ならびに宗教上の観念が非常に重要な役割を果たすことを認識していたひとびともいて、かれらが示したような方向性があったにもかかわらずである。

17. 個人主義は実際、二つのきわめて異なった意味で使われてきた。ひとつは道徳上の理想〔としての個人主義〕であり、わたしがこれまで議論してきた側面である。もうひとつは道徳に関係のない現象〔としての個人主義〕であり、エゴイズムということばで指し示されるような場合である。この意味での個人主義の台頭はふつう、ある崩壊現象のことであって、そこでは——たとえば、新たに都市に流入した農民たちが形成する第三世界の乱れきった、犯罪に悩むスラム(や、あるいは19世紀のマンチェスター)におけるように——伝統的な〔意味の〕地平が失われ、あとにはアノミーだけが残り、誰もが自分の身は自分で守らねばならない。原因も結果もまったく違うこの二種類の個人主義を混同するのは、当然のことながら致命的な誤りである。トクヴィルが「個人主義」を「エゴイズム」から慎重に区別したのもそのためにほかならない。

18. David Harvey, *The Condition of Postmodernity* (Oxford: Blackwell, 1989)〔吉原直樹監訳『ポストモダニティの条件』(青木書店、1999年)〕を見られたい。

19. Bloom, *The Closing of the American Mind*, p. 25.〔邦訳、17頁〕

20. この教義は最初、フランシス・ハチソンの著作のなかでシャフツベリ伯の著書に依拠しながら、また、シャフツベリ伯の理論とロックの理論との対立関係を足場にしながら展開された。この教義の発展については拙著 *Sources of the Self* の第十五章で詳しく論じている。

21. 「他のあらゆる情念をふりすてた存在感はそれ自体、満足と安らいの貴重な感情なのであって、この世でわたしたちの心をたえずこの感情からそらして、その楽しさをかきみだそうとするあらゆる官能的な、リカ個人主義のゆくえ』(みすず書房、1991年)〕を見られたい。

11. こうしたイメージはブルームの *The Closing of the American Mind* (New York: Simon and Schuster, 1987)〔菅野盾樹訳『アメリカン・マインドの終焉——文化と教育の危機』(みすず書房、1988年)〕のうちに現われている。「書物を読まなくなったために現代の学生の精神はより狭く、より浅くなってしまった。「狭い」というのは、かれらにとってもっとも必要なもの——現状に対する不満と、それに取って代わるものが存在するという意識を生む真の基礎——が欠けているからである。かれらは現在にかなり満足しているし、そもそも現在から逃れることすらあきらめている。……また「浅い」というのは、かれらが事物に対する解釈をもちあわせず、詩情も解さねば想像力の働きもないために、魂が本性の鏡ではなく身のまわりの事物の鏡に堕しているからである」(p. 61)。〔邦訳、55頁〕

12. Bloom, *The Closing of the American Mind*, p. 84.〔邦訳、83頁〕

13. 以下を見られたい。John Rawls, *A Theory of Justice* (Cambridge: Harvard University Press, 1971)〔矢島鈞次監訳『正義論』(紀伊國屋書店、1979年)〕ならびに "The Idea of an Overlapping Consensus," in *Philosophy and Public Affairs* 17 (1988)、また Ronald Dworkin, *Taking Rights Seriously* (London: Duckworth, 1977)〔木下毅・小林公・野坂泰司訳『権利論』(木鐸社、1989年)、小林公訳『権利論Ⅱ』(木鐸社、2001年)〕ならびに *A Matter of Principle* (Cambridge: Harvard University Press, 1985)〔森村進・鳥澤円訳『原理の問題』(岩波書店、2012年)〕、そして Will Kymlicka, *Liberalism, Community and Culture* (Oxford: The Clarendon Press, 1989).

14. この点については拙著 *Sources of the Self: The Making of the Modern Identity* (Cambridge: Harvard University Press, 1989)〔下川潔・桜井徹・田中智彦訳『自我の源泉——近代的アイデンティティの形成』(名古屋大学出版会、2010年)〕の第三章に詳しく記してある。

15. とくに Alasdair MacIntyre, *After Virtue* (Notre Dame: University of Notre Dame Press, 1981)〔篠崎榮訳『美徳なき時代』(みすず書房、1993年)〕ならびに *Whose Justice? Which Rationality?* (Notre Dame: University of Notre Dame Press, 1988) を見られたい。

注

1. Alexis de Tocqueville, *De la Démocratie en Amérique* vol. 2 (Pairs: Garnier-Flammarion, 1981), p. 385.〔松本礼二訳『アメリカにおけるデモクラシー』第二巻（下）（岩波書店、2008年)、256頁〕
2. "Erbärmliches Behagen"; *Also Sprach Zarathustra*, Zarathustra's Preface, sect. 3.〔氷上英廣訳『ツァラトゥストラはこう言った』上（岩波書店、1967年)、「ツァラトゥストラの序説」、第三節〕
3. Tocqueville, *De la Démocratie*, p. 127.〔邦訳、第二巻（上）178頁〕
4. こうした計算がいかに不合理であるかについてはR. Bellah et al., *The Good Society* (New York: Knopf, 1991), pp. 114-19〔中村圭志訳『善い社会——道徳的エコロジーの制度論』（みすず書房、2000年)、94-101頁〕を見られたい。
5. Bellah et al., *The Good Society*, chapter 4.〔邦訳、第四章〕
6. とくにPatricia Benner and Judith Wrubel, *The Primacy of Caring: Stress and Coping in Health and Illness* (Menlo Park, CA. Addison-Wesley, 1989)〔難波卓志訳『現象学的人間論と看護』（医学書院、1999年)〕を見られたい。
7. Albert Borgmann, *Technology and the Character of Contemporary Life* (Chicago: University of Chicago Press, 1984), pp. 41-42. 解放というテクノロジーの最初の約束は「軽薄な安逸の調達」に堕す場合があると論じるところでは、ボーグマンでさえニーチェの「末人」のイメージをなぞっている印象を与える（p. 39)。
8. Hannah Arendt, *The Human Condition* (Garden City, NJ: Doubleday, Anchor Edition, 1959), p. 83.〔志水速雄訳『人間の条件』（筑摩書房、1994年)、150頁〕（一部改訳）
9. Tocqueville, *De la Démocratie*, p. 385.〔邦訳、第二巻（下）256頁〕
10. たとえばR. Bellah et al., *Habits of the Heart* (Berkeley: University of California Press, 1985)〔島薗進・中村圭志訳『心の習慣——アメ

索　引

あ

い

う

え

お

か

き

本書は二〇〇四年二月、産業図書より刊行された。

民主主義の革命

エルネスト・ラクラウ／シャンタル・ムフ
西永亮／千葉眞訳

グラムシ、デリダらの思想を摂取し、根源的で複数的なデモクラシーへ向けて、新たなヘゲモニー概念を提示した、ポスト・マルクス主義の代表作。

鏡の背面

コンラート・ローレンツ
谷口茂訳

人間の認識システムはどのように進化してきたのか、そしてその特徴とは。ノーベル賞受賞の動物行動学者が試みた抱括的知識による壮大な総合人間哲学。

ミメーシス（上）

E・アウエルバッハ
篠田一士／川村二郎訳

西洋文学史より具体的なテクストを選び、文体美学を分析・批評しながら、現実描写を追求する。全20章の前半のホメーロスよりラ・サールまで。

ミメーシス（下）

E・アウエルバッハ
篠田一士／川村二郎訳

ヨーロッパ文学における現実描写の流れをすばらしい切れ味の文体分析により追求した画期的文学論。全20章の後半、ラブレーよりV・ウルフまで。

人間の条件

ハンナ・アレント
志水速雄訳

人間の活動的生活を《労働》《仕事》《活動》の三側面から考察し、《労働》優位の近代世界を思想史的に批判したアレントの主著。（阿部齊）

革命について

ハンナ・アレント
志水速雄訳

《自由の創設》をキイ概念としてアメリカとヨーロッパの二つの革命を比較・考察し、その最良の精神を二〇世紀の惨状から救い出す。（川崎修）

暗い時代の人々

ハンナ・アレント
阿部齊訳

自由が著しく損なわれた時代を自らの意思に従い行動し、生きた人々。政治・芸術・哲学への鋭い示唆を含み描かれる普遍的人間論。（村井洋）

責任と判断

ハンナ・アレント
ジェローム・コーン編
中山元訳

思想家ハンナ・アレント後期の未刊行論文集。人間の責任の意味と判断の能力を考察し、考える能力の喪失により生まれる〈凡庸な悪〉を明らかにする。

政治の約束

ハンナ・アレント
ジェローム・コーン編
高橋勇夫訳

われわれにとって「自由」とは何であるのか――。政治思想の起源から到達点までを描き、政治的経験の意味に根底から迫った、アレント思想の精髄。

プリズメン
Th・W・アドルノ
渡辺祐邦／三原弟平訳
「アウシュヴィッツ以後、詩を書くことは野蛮である」。果てしなく進行する大衆の従順化と、絶対的物象化の時代における文化批判のあり方を問う。

スタンツェ
ジョルジョ・アガンベン
岡田温司訳
西洋文化の豊饒なイメージの宝庫を自在に横切り、愛・言葉そして喪失の想像力が表象に与えた役割をたどる。21世紀を牽引する哲学者の博覧強記。

事物のしるし
ジョルジョ・アガンベン
岡田温司／岡本源太訳
パラダイム・しるし・哲学的考古学の鍵概念のもと、「しるし」の起源や特権的領域を探求する。私たちを西洋思想史の彼方に誘うユニークかつ重要な一冊。

アタリ文明論講義
ジャック・アタリ
林昌宏訳
歴史を動かすのは先を読む力だ。混迷を深める現代文明の行く末を見通し対処するにはどうすればよいのか。「欧州の知性」が危難の時代を読み解く。

時間の歴史
ジャック・アタリ
蔵持不三也訳
日時計、ゼンマイ、クオーツ等。計時具から見えてくる人間社会の変遷とは？　J・アタリが「時間と暴力」「暦と権力」の共謀関係を大柄に描く大著。

風水
エルネスト・アイテル
中野美代子／中島健訳
中国の伝統的思惟では自然はどのように捉えられているのか。陰陽五行論・理気二元論から説き起こし、風水の世界を整理し体系づける。（三浦國雄）

コンヴィヴィアリティのための道具
イヴァン・イリイチ
渡辺京二／渡辺梨佐訳
破滅に向かう現代文明の大転換はまだ可能だ！　人間本来の自由と創造性が最大限活かされる社会をどう作るか。イリイチが遺した不朽のマニフェスト。

メディアの文明史
ハロルド・アダムズ・イニス
久保秀幹訳
粘土板から出版・ラジオまで。メディアの深奥部に潜むバイアス＝傾向性が、社会の特性を生み出す。大柄な文明史観を提示する必読古典。（水越伸）

重力と恩寵
シモーヌ・ヴェイユ
田辺保訳
「重力」に似たものから、どのようにして免れればよいのか……ただ「恩寵」によって。苛烈な自己無化への意志に貫かれた、独自の思索の断想集。ティボン編。

工場日記
シモーヌ・ヴェイユ
田辺保訳
人間のありのままの姿を知り、愛し、そこで生きたい――女工となった哲学者が、極限の状況で自己犠牲と献身について考え抜き、克明に綴った、魂の記録。

青色本
L・ウィトゲンシュタイン
大森荘蔵訳
「語の意味とは何か」。端的な問いかけで始まるこのコンパクトな書は、初めて読むウィトゲンシュタインとして最適な一冊。（野矢茂樹）

法の概念〔第3版〕
H・L・A・ハート
長谷部恭男訳
法とは何か。ルールの秩序という観念でこの難問に立ち向かい、法哲学の新たな地平を拓いた名著。批判に応える「後記」を含め、平明な新訳でおくる。

生き方について哲学は何が言えるか
バーナド・ウィリアムズ
森際康友／下川潔訳
倫理学の中心的な諸問題を深い学識と鋭い眼差しで再検討した現代における古典的名著。倫理学はいかに変貌すべきか、新たな方向づけを試みる。

思考の技法
グレアム・ウォーラス
松本剛史訳
知的創造を四段階に分け、危機の時代を打破する真の思考のあり方を究明する。『アイデアのつくり方』の源となった先駆的名著、本邦初訳。（平石耕）

ポパーとウィトゲンシュタインとのあいだで交わされた世上名高い10分間の大激論の謎
デヴィッド・エドモンズ／ジョン・エーディナウ
二木麻里訳
このすれ違いは避けられない運命だった？　二人の思想の歩み、そして大激論の真相に、ウィーン学団の人間模様やヨーロッパの歴史的背景から迫る。

言語・真理・論理
A・J・エイヤー
吉田夏彦訳
無意味な形而上学を追放し、〈分析的命題〉か〈経験的仮説〉のみを哲学的に有意義な命題として扱おう。初期論理実証主義の代表作。（青山拓央）

大衆の反逆
オルテガ・イ・ガセット
神吉敬三訳
二〇世紀の初頭、《大衆》という現象の出現とその功罪を論じながら、自ら進んで困難に立ち向かう《真の貴族》という概念を対置した警世の書。

啓蒙主義の哲学（上）
エルンスト・カッシーラー
中野好之訳
理性と科学を「人間の最高の力」とみなし近代を準備した啓蒙主義。「浅薄な過去の思想」との従来評価を覆し、再評価を打ち立てた古典的名著。

啓蒙主義の哲学（下）
エルンスト・カッシーラー
中野好之訳

啓蒙主義を貫く思想原理とは何か。自然観、人間観から宗教、国家、芸術まで、その統一的結びつきを鋭い批判的洞察で解明する。（鷲見洋一）

近代世界の公共宗教
ホセ・カサノヴァ
津城寛文訳

一九八〇年代に顕著となった宗教の〈脱私事化〉。五つの事例をもとに近代における宗教の役割と世俗化の意味を再考する。宗教社会学の一大成果。

死にいたる病
S・キルケゴール
桝田啓三郎訳

死にいたる病とは絶望であり、絶望を深く自覚し神の前に自己をすてる。実存的な思索の深まりをデンマーク語原著から訳出し、詳細な注を付す。

世界制作の方法
ネルソン・グッドマン
菅野盾樹訳

世界は「ある」のではなく、「制作」されるのだ。芸術・科学・日常経験・知覚など、幅広い分野で徹底した思索を行ったアメリカ現代哲学の重要著作。

新編 現代の君主
アントニオ・グラムシ
上村忠男編訳

労働運動を組織しイタリア共産党を指導したグラムシ。獄中で綴られたそのテキストから、いま読み直されるべき重要な29篇を選りすぐり注解する。

孤島
ジャン・グルニエ
井上究一郎訳

「島」とは孤独な人間の謂。透徹した精神のもと、話者の綴る思念と経験が啓示を放つ。カミュが本書との出会いを回想した序文を付す。（松浦寿輝）

ウィトゲンシュタインのパラドックス
ソール・A・クリプキ
黒崎宏訳

規則は行為の仕方を決定できない――このパラドックスの懐疑的解決こそ、『哲学探究』の核心である。異能の哲学者によるウィトゲンシュタイン解釈。

ハイデッガー『存在と時間』註解
マイケル・ゲルヴェン
長谷川西涯訳

難解をもって知られる『存在と時間』全八三節の思考を、初学者にも一歩一歩追体験させ、高度な内容を読者に確信させ納得させる唯一の註解書。

色彩論
ゲーテ
木村直司訳

数学的・機械論的近代自然科学と一線を画し、自然の中に「精神」を読みとろうとする特異で巨大な自然観を示した思想家・ゲーテの不朽の業績。

政治思想論集
カール・シュミット
服部平治／宮本盛太郎訳
現代新たな角度で脚光をあびる政治哲学の巨人が、その思想の核を明かしたテクストを精選して収録。権力の源泉や限界といった基礎もわかる名論文集。

神秘学概論
ルドルフ・シュタイナー
高橋巖訳
宇宙論、人間論、進化の法則と意識の発達史を綴り、シュタイナー思想の根幹を展開する——四大主著の一冊、渾身の訳し下し。（笠井叡）

神智学
ルドルフ・シュタイナー
高橋巖訳
神秘主義的思考を明晰な思考に立脚した精神科学へと再編し、知性と精神性の健全な融合をめざしたシュタイナーの根本思想。四大主著の一冊。

いかにして超感覚的世界の認識を獲得するか
ルドルフ・シュタイナー
高橋巖訳
すべての人間には、特定の修行を通して高次の認識を獲得できる能力が潜在している。その顕在化のための道すじを詳述する不朽の名著。

自由の哲学
ルドルフ・シュタイナー
高橋巖訳
社会の一員である個人の究極の自由はどこに見出されるのか。思考は人間に何をもたらすのか。シュタイナー全業績の礎をなしている認識論哲学。

治療教育講義
ルドルフ・シュタイナー
高橋巖訳
障害児が開示するのは、人間の異常性ではなく霊性である。人智学の理論と実践を集大成したシュタイナー晩年の最重要講義。改訂増補決定版。

人智学・心智学・霊智学
ルドルフ・シュタイナー
高橋巖訳
身体・魂・霊に対応する三つの学が、霊視霊聴を通じた存在の成就への道を語りかける。人智学協会の創設へ向け最も注目された時期の率直な声。

ジンメル・コレクション
ゲオルク・ジンメル
北川東子編訳
鈴木直訳
都会、女性、モード、貨幣をはじめ、取っ手や橋・扉にまで哲学的思索を向けた「エッセーの思想家」の姿を一望する新編・新訳のアンソロジー。

私たちはどう生きるべきか
ピーター・シンガー
山内友三郎監訳
社会の10％の人が倫理的に生きれば、政府が行う社会変革よりもずっと大きな力となる——環境・動物保護の第一人者が、現代に生きる意味を鋭く問う。

ポストモダニティの条件
デヴィッド・ハーヴェイ
吉原直樹監訳
和泉浩／大塚彩美訳

モダンとポストモダンを分かつものは何か。近代世界の諸事象を探査し、その核心を「時間と空間の圧縮」に見いだしたハーヴェイの主著。改訳決定版。

ビギナーズ 倫理学
デイヴ・ロビンソン文
クリス・ギャラット画
鬼澤忍訳

正義とは何か？　なぜ善良な人間であるべきか？　倫理学の重要論点を見事に整理した、道徳的カオスの中を生き抜くためのビジュアル・ブック。

宗教の哲学
ジョン・ヒック
間瀬啓允／稲垣久和訳

古今東西の宗教の多様性と普遍性は、究極的実在に対する様々に異なるアプローチであり応答である。「宗教的多元主義」の立場から行う哲学的考察。

自我論集
ジークムント・フロイト
竹田青嗣編
中山元訳

フロイト心理学の中心、「自我」理論の展開をたどる新編・新訳のアンソロジー。「快感原則の彼岸」「自我とエス」など八本の主要論文を収録。

明かしえぬ共同体
モーリス・ブランショ
西谷修訳

G・バタイユが孤独な内的体験のうちに失うという形で見出した〈共同体〉。そして、M・デュラスが描いた奇妙な男女の不可能な愛の〈共同体〉。

フーコー・コレクション（全6巻＋ガイドブック）
ミシェル・フーコー
小林康夫／石田英敬／
松浦寿輝編

20世紀最大の思想家フーコーの活動を網羅した『ミシェル・フーコー思考集成』。その多岐にわたる思考のエッセンスをテーマ別に集約する。

フーコー・コレクション1 狂気・理性
ミシェル・フーコー
小林康夫／石田英敬／
松浦寿輝編

第1巻は、西欧の理性がいかに狂気を切りわけてきたかという最初期の問題系をテーマとする諸論考。〝心理学者〟としての顔に迫る。（小林康夫）

フーコー・コレクション2 文学・侵犯
ミシェル・フーコー
小林康夫／石田英敬／
松浦寿輝編

狂気と表裏をなす「不在」の経験として、文学がフーコーによって読み解かれる。人間の境界＝極限を、その言語活動に探る文学論。（小林康夫）

フーコー・コレクション3 言説・表象
ミシェル・フーコー
小林康夫／石田英敬／
松浦寿輝編

ディスクール分析を通しフーコー思想の重要概念も精緻化されていく。『言葉と物』から『知の考古学』へ研ぎ澄まされる方法論。（松浦寿輝）

精神現象学（上）
G・W・F・ヘーゲル　熊野純彦訳
人間精神が、感覚的経験という低次の段階から「絶対知」へと至るまでの壮大な遍歴を描いた不朽の名著。平明かつ流麗な文体による決定版新訳。

精神現象学（下）
G・W・F・ヘーゲル　熊野純彦訳
人類知の全貌を綴った哲学史上の一大傑作。四つの原典との頁対応を付し、著名な格言を採録した索引を巻末に収録。従来の解釈の遥か先へ読者を導く。

道徳および立法の諸原理序説（上）
ジェレミー・ベンサム　中山元訳
快と苦痛のみに基礎づけられた功利性の原理から、個人および共同体のありようを分析する。近代功利主義の嚆矢をなす記念碑的名著をついに完訳。

道徳および立法の諸原理序説（下）
ジェレミー・ベンサム　中山元訳
法とは何のためにあるのか？　科学に立脚して立法と道徳を問いなおし、真に普遍的な法体系を打ち立てんとするベンサムの代表作を清新な訳文で送る。

象徴交換と死
J・ボードリヤール　今村仁司／塚原史訳
すべてがシミュレーションと化した高度資本主義像を鮮やかに提示し、〈死の象徴交換〉による、その内部からの〈反乱〉を説く、ポストモダンの代表作。

経済の文明史
カール・ポランニー　玉野井芳郎ほか訳
市場経済社会は人類史上極めて特殊な制度的所産である――非市場社会の考察を通じて経済人類学に大転換をもたらした古典的名著。（佐藤光）

暗黙知の次元
マイケル・ポランニー　高橋勇夫訳
非言語的で包括的なもうひとつの知。創造的な科学活動にとって重要な〈暗黙知〉の構造を明らかにしつつ、人間と科学の本質に迫る。新訳。

現代という時代の気質
エリック・ホッファー　柄谷行人訳
群れず、熱狂に翻弄されることなく、しかし自分自身の内にこもることなしに、人々と歩み、権力と向きあっていく姿勢を、省察の人・ホッファーに学ぶ。

リヴァイアサン（上）
トマス・ホッブズ　加藤節訳
各人の各人に対する戦いから脱し、平和と安全を確立すべく政治的共同体は生まれた。その仕組みを分析した不朽の古典を明晰な新訳でおくる。全二巻。

明の太祖 朱元璋 檀上寛

貧農から皇帝に上り詰め、巨大な専制国家の樹立に成功した朱元璋。十四世紀の中国の社会状況を読み解きながら、元璋を皇帝に導いたカギを探る。

ハプスブルク帝国 1809–1918 A・J・P・テイラー 倉田稔訳

ヨーロッパ最大の覇権を握るハプスブルク帝国。その19世紀初頭から解体までを追う。多民族を抱えつつ外交問題に苦悩した巨大国家の足跡。（大津留厚）

歴史（上） トゥキュディデス 小西晴雄訳

野望、虚栄、裏切り——古代ギリシアを殺戮の嵐に陥れたペロポネソス戦争とは何だったのか。その全貌を克明に記した、人類最古の本格的「歴史書」。

歴史（下） トゥキュディデス 小西晴雄訳

多くの「力」のせめぎあいを通して、どのように諸々の政治制度が確立されてきたのか？ 透徹した眼差しで激動の古代ギリシア世界を描いた名著。

日本陸軍と中国 戸部良一

中国スペシャリストとして活躍し、日中提携を夢見た男たち。なぜ彼らが、泥沼の戦争へと日本を導くことになったのか。真相を追う。（五百旗頭真）

世界をつくった貿易商人 フランチェスカ・トリヴェッラート 玉木俊明訳

東西インド会社に先立ち新世界に砂糖をもたらし西欧にインドの捺染技術を伝えたディアスポラの民。その商業組織の全貌に迫る。文庫オリジナル。

カニバリズム論 中野美代子

根源的タブーの人肉嗜食や纏足、宦官……。目を背けたくなるものを冷静に論ずることで逆説的に人間の真実に迫る血の滴る異色の人間史。（山田仁史）

インド大反乱一八五七年 長崎暢子

東インド会社の傭兵シパーヒーの蜂起からインド各地へ広がった大反乱。民族独立運動の出発点ともいえるこの反乱は何が支えていたのか。（井坂理穂）

帝国の陰謀 蓮實重彦

一組の義兄弟による陰謀から生まれたフランス第二帝政。「私生児」の義弟が遺した二つのテクストを読解し、近代的現象の本質に迫る。（入江哲朗）

増補 モスクが語るイスラム史　羽田正

モスクの変容――そこには宗教、政治、経済、美術、人々の生活をはじめ、イスラム世界の全歴史が刻み込まれている。その軌跡を色鮮やかに描き出す。

交易の世界史（上）　ウィリアム・バーンスタイン　鬼澤忍訳

絹、スパイス、砂糖……。新奇なもの、希少なものへの欲望が世界を動かし、文明の興亡を左右してきた。数千年にもわたる交易の歴史を一望する試み。

交易の世界史（下）　ウィリアム・バーンスタイン　鬼澤忍訳

交易は人類そのものを映し出す鏡である。圧倒的な繁栄をもたらし、同時に数多の軋轢と衝突を引き起こしてきたその歴史を圧巻のスケールで描き出す。

フランス革命の政治文化　リン・ハント　松浦義弘訳

フランス革命固有の成果は、レトリックやシンボルによる政治言語と文化の創造であった。政治文化とそれを生み出した人々の社会的出自を考察する。

戦争の起源　アーサー・フェリル　鈴木主税／石原正毅訳

人類誕生とともに戦争は始まった。先史時代からアレクサンドロス大王までの壮大なるその歴史をダイナミックに描く。地図・図版多数。（森谷公俊）

近代ヨーロッパ史　福井憲彦

ヨーロッパの近代は、その後の世界を決定づけた。現代をさまざまな面で規定しているヨーロッパ近代の歴史と意味を、平明かつ総合的に考える。

イタリア・ルネサンスの文化（上）　ヤーコプ・ブルクハルト　新井靖一訳

中央集権化がすすみ緻密に構成されていく国家あってこそ、イタリア・ルネサンスは可能となった。ブルクハルト若き日の着想に発した畢生の大著。

イタリア・ルネサンスの文化（下）　ヤーコプ・ブルクハルト　新井靖一訳

緊張の続く国家間情勢の下にあって、類稀な文化と個性的な人物達は生みだされた。近代的な社会に向かう時代の、人間の生活文化様式を描ききる。

増補 普通の人びと　クリストファー・R・ブラウニング　谷喬夫訳

ごく平凡な市民が無抵抗なユダヤ人を並べ立たせ、ひたすら銃殺する――なぜ彼らは八万人もの大虐殺に荷担したのか。その実態と心理に迫る戦慄の書。

オリンピア　村川堅太郎

古代ギリシア世界最大の競技祭とはいかなるものであったのか。遺跡の概要から競技精神の盛衰まで、綿密な考証と卓抜な筆致で迫った名著。（橋場弦）

古代地中海世界の歴史　本村凌二／中村るい

メソポタミア、エジプト、ギリシア、ローマ――古代に花開き、密接な交流や抗争をくり広げた文明を一望に見渡し、歴史の躍動を大きくつかむ！

大衆の国民化　ジョージ・L・モッセ　佐藤卓己／佐藤八寿子訳

ナチズムを国民主義の極致ととらえ、フランス革命以降の国民主義の展開を大衆的儀礼やシンボルから考察した、ファシズム研究の橋頭堡。（板橋拓己）

英霊　ジョージ・L・モッセ　宮武実知子訳

第一次大戦の大量死を人々はいかに超克したか。仲間意識・男らしさの称揚、英霊祭祀等が「戦争体験の神話」を構築する様を緻密に描く。（今井宏昌）

ヴァンデ戦争　森山軍治郎

仏革命政府へのヴァンデ地方の民衆蜂起は、大量殺戮をもって弾圧された。彼らは何を目的に行動したか。凄惨な内戦の実態を克明に描く。（福井憲彦）

増補　十字軍の思想　山内進

欧米社会にいまなお色濃く影を落とす「十字軍」の思想。人々を聖なる戦争へと駆り立てるものとは？その歴史を辿り、キリスト教世界の深層に迫る。

インド洋海域世界の歴史　家島彦一

陸中心の歴史観に異を唱え、海から歴史を見る重要性を訴えた記念碑的名著。世界を一つにつなげた文明の交流の場、インド洋海域世界の歴史を紐解く。

向う岸からの世界史　良知力

「歴史なき民」こそが歴史の担い手であり、革命の主体であった。著者の思想史から社会史への転換点を示す記念碑的作品。（阿部謹也）

イギリス社会史 1580–1680　キース・ライトソン　中野忠／山本浩司訳

変わらないと思われていた社会秩序が崩れていく激動の百年を描き切ったイギリス社会史不朽の名著。近代的格差社会の原点がここにある。

ちくま学芸文庫

〈ほんもの〉という倫理《りんり》　近代《きんだい》とその不《ふ》安《あん》

二〇二三年三月十日　第一刷発行

著者　チャールズ・テイラー
訳者　田中智彦（たなか・ともひこ）
発行者　喜入冬子
発行所　株式会社　筑摩書房
東京都台東区蔵前二―五―三　〒一一一―八七五五
電話番号　〇三―五六八七―二六〇一（代表）

装幀者　安野光雅
印刷所　明和印刷株式会社
製本所　株式会社積信堂

ISBN978-4-480-51160-7 C0112